北京古籍叢書

[清]麟慶 著文 [清]汪春泉 等 繪圖

鴻雪因緣圖記

第一册

圖書在版編目（CIP）數據

鴻雪因緣圖記. 第一册 /（清）麟慶著文；（清）汪春泉等繪圖. — 北京：北京出版社，2018. 2
（北京古籍叢書）
ISBN 978-7-200-13581-7

Ⅰ. ①鴻… Ⅱ. ①麟… ②汪… Ⅲ. ①古典散文—散文集—中國—清代 Ⅳ. ① I264. 9

中國版本圖書館 CIP 數據核字（2017）第 282817 號

項目策劃：安　東　　項目統籌：許　可
責任編輯：喬天一　許　可　　責任印製：宋　超
裝幀設計：郭　宇

北京古籍叢書
鴻雪因緣圖記
第一册
[清]麟慶 著文
[清]汪春泉 等 繪圖

出　版 北京出版集團公司
　　　 北京出版社
地　址 北京北三環中路六號
郵　編 一〇〇一二〇
網　址 www.bph.com.cn
總發行 北京出版集團公司
經　銷 新華書店
印　刷 北京京華虎彩印刷公司
開　本 八八〇毫米×一二三〇毫米　三十二
印　張 十一點二五
字　數 一四一千字
版　次 二〇一八年二月第一版
印　次 二〇一八年二月第一次印刷

書號　ISBN 978-7-200-13581-7
定價 98.00 圓

出版說明

「鴻雪因緣圖記」是清代麟慶用圖畫的形式記述身世和經歷的作品，分爲三集，每集二卷，共圖二百四十幅，記二百四十篇。「鴻雪」出於蘇東坡詩：「人生到處知何似，應似飛鴻踏雪泥。泥上偶然留指爪，鴻飛那復計東西。」麟慶把自己的經歷，請畫家繪出，自作文字記述，好似飛鴻踏在雪地上，留下一些痕跡。這在沒有攝影術的時代，是唯一的辦法，使生活的印痕得以保留下來。雖是自述生平際遇，但作者性好山水，不廢登臨，書中有很多山水名勝的記遊。又由於作者各處作官，接觸朝野，涉及山川、古跡、風土、民俗、河防、水利、鹽務等等，反映了道光年間廣闊的社會風貌。

麟慶字見亭，滿族人。「清史稿」卷三八三有傳。生於乾隆五十六年（公元一七九一年），卒於道光二十六年（公元一八四六年），是金代皇室完顏氏的後裔。在滿洲八旗中屬上三旗的鑲黃旗。他的七世祖達齊哈又以軍功「從龍入關」，所以被稱爲「金源世胄，鐵券家聲」。麟慶以嘉慶十四年進士，授內閣中書，升兵部主事。道光三年出守安徽徽州知府，四年調潁州知府，五年遷河南，分巡開歸陳許河道，九年升河南按察使，十二年任貴州布政使，十三年升湖北巡撫，十四年擢總督江南河道兼兵部侍郎、都察院右副都御史，十九年兼署兩江總督管兩淮鹽政。可知作者自科舉入仕途是一帆風順的。由於起家科名，職領封圻，這就使他能周遊黄河南北、大江東西。兼以性好探歷史舊事，搜尋名人遺踪，「探二水三山之名勝，搜六朝五季之遺聞」，這些名勝古跡，今天或存留或廢棄。有了這部圖記，對於旅遊、歷史、文物等等，都會提供一些有用的參考資料。

作者出遊訪勝，記録了當年行旅和名勝地情景。過湖南常德府，曉過緑蘿山，頫岩蒙翠，秀色撲人，午泊攬船洲，即古桃花源，找到劉禹錫所書「桃源佳致」碑。入貴州龍里縣雲頂關，寫驛路如鳥道一綫，比至關，俯視白雲，浩如湖海，諸山縹緲。坐船過沅陵清浪灘，舟人在舟前置大木如偃月刀，長丈五六，其名曰「招」，一人操之，衝濤劈石而過，篙楫遞施，盤旋避險。

書中的記載都是作者親身的經歷，當時記述或事後回憶，應該是真實可靠的。如揚州的文匯閣、梅花書院、桃泉書屋……現在或看不見了，可從書中能看出當時的建築景象。又如黄河合龍時要敬祭河神，投擲五色粽子以禳浮尼（浮尼狀如緑毛鵝，見之有災，故投粽以祭禱消災），高懸九蓮燈（圖上畫了許多長串燈籠（以度幽厲，這幽厲就是河上搶險落埽没入水中的河工，當時叫做肉椿。可見防河搶險時勞動人民犧牲不少。鎮江的金山現在已連在陸地上，書中記述當時還孤懸揚子江中。由於作者見多識廣，書中保留不少傳聞逸事，如揚州以瓊花出名，隋煬帝觀賞的瓊花，據阮元説，從前在城内的蕃釐觀。相傳金代被移栽北方，元代乾枯了，或以聚八仙代之，或謂是玉蕊花，或謂是銹球花，終無定論。由於作者任江南河道總督十年，所以對揚州、淮南、鎮江一帶記述更較詳細，對漕運、運河也有第一手的材料。

作者另一個熟悉并用力抒寫的是北京，這是因爲他家老宅在鼓樓東，祖塋在安定門外，童年、青年和晚年都在京都度過。道光二十二年，南河在桃北崔鎮汛决口，麟慶未能先事豫防，革職後即住北京，其間除二十三年在中牟黄河工地上効力并充庫倫辦事大臣（未赴任）外，都在京養病遊覽，所以第三集自《金鰲歸里》後，大多是有關北京的記述。他寫西山寶藏寺的桂花，房山金代的陵寢，城里夕照寺的飛鐃，碧雲寺的石獅，都寫得很有味道，保留了不易得的材料。他寫圓明園南宫門外前湖中間夾了輦道，左右如兩扇，俗稱扇子湖，其水南入菱角泡，即丹稜沜。這個湖是乾隆二十八年濬治而成。湖南邊還有一個茶肆，叫平安園，是一個兩層樓的茶館，只是早已看不見了。還寫了十刹海的烟波景色，寫十刹海古寺房舍三十多間相比如號舍，佛殿亦分爲一舍，引用法式善的詩：「梵宇儼號舍，而名十刹海。」圖中更繪出廟宇房舍鱗比的狀況。書中又寫積水潭夏日盛開荷花，北岸有淨業寺。南岸土阜隆然，有華陀廟建其上，俗稱高廟，面臨曲巷，背枕全湖。寺僧在廟後營廣樹，繚以短垣，洞啟北窗，城樓山寺，儼然圖畫。這些描述使我們增加了對道光年間北京情況的了解。

麟慶還用細緻的文筆來描述自己的住宅——半畝園，其地本是清初賈漢復的園子，園藝家李笠翁（漁）作賈的幕僚時，幫助疊石成山，引水作沼。麟慶購得此園，更命大兒崇實，倩工修復，繪圖盪樣，皆親自設計。除正房軒堂齋閣外，還有嫏嬛妙境、玲瓏池館、瀟湘小影、雲容石態、罨秀山房等建築，我們從圖上可以看到，這是一處建造得很幽雅的有多處四合院外帶庭園的宅子。其中的拜石軒除了原有的疊石外，還羅列了麟慶從四方收集的各種奇石，軒中又陳設石屏、石刻、石牌，壁懸石笛、石簫，這個石室的擺設是富有藝術意境的。

這部書的文字是清新可喜的，流暢簡練，美妙自然。如由河南、湘西入貴州，一路奇山異水，寫得很有風趣。寫洪澤歸帆：「雨則時灑時止，云則載陰載陽……」。在揚州時，坐船經瘦西湖到平山堂：打槳沿溯而西，夾岸園林，水木明瑟，一轉至紅橋冶春詩社，再轉至白塔晴云……尋回舟，縱棹保障湖，晴波渲碧，烟柳濛青，水面風來，塵意俱散。……」作者對山水很少用重復的描寫，故有許多新意。只是很多篇幅寫皇上恩典、科考的得意、生活的豪奢和對勞動人民如對北京西山煤礦工人、貴州苗民的輕視，反映了作者的封建意識，讀來使人生厭。

道光末年，我國一步一步地變成了一個半殖民地半封建的社會，外則資本主義入侵，內則官貪吏壞，一片衰敗景象，作者卻爲之粉飾太平。但從中也可以看到一些真實的描寫，如作者在河南上南核桃園搶險時，十三晝夜坐危堤，『有「眼前都是傾危地，身外全成浩渺天」句，至今思之，猶深懍懍』，説明黄河秋汛時的險情。又如兩淮鹽政在儀徵設局，有「八開」之名，卽要經過八道手續，這些繁苛的關卡，大大加重了鹽的成本，作者也不得不承認：「其初原以杜弊，奈日久費增，幾半鹽本。」官僚手續的用費，達到鹽本錢的一半，這些弊病積重難返。書中還透露出道光年間，病河、病漕、病鹽，種種弊政。連繁華的揚州也漸衰落，而文滙閣前亭榭已半就傾圮。

「清史稿」上説，河患至道光朝而愈亟。南河爲漕運所累，愈治愈壞，麟慶循其成法，幸無大敗而已。書中還污蔑李闖王等農民起義。

還值得一説的，作者在科考、升官、祈雨時，往往拜神求籤，圖記中的許多仙踪異跡，近乎神奇。封建文人迷信附會，本是常事。作者後來病重吃藥也要向吕祖求籤，得木耳五錢重，卽斷定木卽桂，耳卽附，木耳卽桂附。作者的腿疾麻木或是血壓高半身不遂，吃補藥桂附并不好，無怪過了一年卽死去了。可見作者所中迷信毒害之深。

本書的圖畫由汪春泉（名英福），陳朗齋（名鑑）、汪惕齋（名圻）所繪。汪春泉從道光七年作麟慶的幕僚，就爲他作畫。第一集是他的作品。第二、三集爲陳朗齊、汪惕齋所繪。麟慶在京郊遊覽，陳朗齋也常隨往。所以書中所述許多事，畫家曾親身經歷或聽麟慶述説，熟悉當時情況，應該是寫實的作品。還有畫小照的賀焕文（名世魁）、胡芑香（名駿聲）都是當時有名的畫家。

「鴻雪因緣圖記」有道光二十九年揚州刻本，光緒十年上海點石齋石印本。原畫現藏中國歷史博物館。我們現據道光二十九年刻本影印，上面的標點是我們加的，有錯失的地方，請讀者指正。

鴻雪因緣

見亭先生命題

戈載

道光丁未秋七
月重雕于揚州

河督長白麟見亭為余戊辰京兆所得士。既卒之三年，公子崇實、崇厚以所著鴻雪因緣若干帙付之梓人，出以請序，蓋自述一生游歷之作也。傳稱升高能賦、山川能說，可謂有德音可以為卿大夫。自來英儒贍聞之士，類能以宦游轍迹所至，見之著録，垂示方來，如宋范石湖驂鸞録、吳船録，陸務觀入蜀記，國朝王阮亭皇華紀聞，高澹人松亭行紀，其輿圖兼行者，如宋徐兢宣和奉使高麗圖經，元李好文長安志圖，雖體製各別，要皆列於藝文，傳世不朽。見亭博覽能文，早歲登上第，由館閣外簡，宦跡半天下。是編所述，凡道里、山川、形勝、古蹟、風土、民俗、河防、水利，靡不博考見聞，兼綜條貫，生平文章政績，略具於是。而大旨以紀游為主，其體於范陸諸作為近，而用圖則徐、李之遺也。晚節家居，閉關却埽，猶手訂是編，纂錄不輟，又有宗少文澄懷觀道臥以遊之之風焉。而當日戟衛清閑，雅歌投壺，高懷遠致，不更可想見哉。

道光二十九年秋八月吳縣潘世恩序

序

鴻雪因緣圖記者，　前輩見亭先生之所撰也。先生大定華胄，不咸世家。挺淵角之殊姿，曜山庭之異表。游思六籍，走筆千言。入驪窟而探珠，取龍梭而織字。凡經仁緯義之旨，離堅合異之談，金版玉匱之藏，辨河辭峯之奥，靡不尋源竟委，致遠鈎深。故其隨侍四方，服官三紀，游必有記，記必有圖，洵可補輿志之遺，訂山經之謬矣。方　泰安公之官於浙也，先生陟禹穴、窺蘭亭，振衣於赤城之霞，浣筆於石梁之水。江中孤嶼，間艤仙舟，湖上六橋，俱成畫本。及　泰安公之宦山左也，先生搨經石峪，鼓枻明湖，摩角端於孔林，展犧象於闕里，靈巖曉坐，長嘯萬松之間；日觀宵躋，高步扶桑之表。既而策名省闥，載筆華軒，作循吏於丹陽，獲休徵於白嶽。移官汴水，重尋蕉葉之踪；持節牂牁，爭奉椰瓢之酒。歲惟癸巳，開府南河，謳生佛者萬家，報安瀾者九稔。月明官署，迓仙蝶而焚香；潮打焦山，縱靈鼉而掛席。厥後島夷不譓，廣陵戒嚴，先生仗鉞河干，建旟江北。朔蓬燕角，羣瞻大將之軍；天竈龍頭，不犯兵家之忌。淮海安堵，厥功煒焉。夫小儒佔畢，藉章句以傳家；騷客流連，假詩歌以壽世。若先生惠流皖豫，澤洽苗狑、奏偉績於河渠，振軍威於防禦，固已爛然竹帛、垂之無窮，豈必著爲文章，名始不朽。然而詠世德之駿烈，敘生平之舊游，攬三輔之皋區，抉九州之瓌蘊，綜覽茲册，實軼前聞。宗少文之臥游，不能專美；張茂先之博物，未足擅奇也已。樸山、地山兩哲嗣問序於余，撫安道之琴存，愧文通之才盡。爰書梗概，以弁簡端，不辭覆瓿之嘲，用誌通家之誼云爾。

道光己酉春正月年侍愚弟許乃普頓首拜序

許乃普

滇生

鴻雪因緣圖記序

凡事莫不有因緣，而久之亦成鴻雪。雖然不可以概論也。造緣者致其巧舉以與人，人受之漫不經意，皆以鴻雪視之，不著語言文字而空之，直自空耳。不知人世之緣，先在父母，繼則君恩，此後則官民，姻親，交友，山川，晴雨，動植，皆有語言文字在也。

見亭河帥鴻雪因緣圖記，首卷屬予序之。余知作者紀因緣耳。作者處高視達，觀者或嫌其瑣也，滯也，而以鴻雪論之，似乎不涉于瑣，不泥于迹矣。嗟乎，人生百年耳，俯仰之間，以為陳迹，則王右軍何必序蘭亭之會乎。序年之書，則有年譜，計在今日求昔人之譜，莫如宋蘇文忠公年譜。蘇譜以道光仁和王見大蘇注集成總案為最詳覈，幾于一事、一言、一箋、一字，皆搜考無遺。吾輩無蘇公之望與文，誰其譜之。無能望之于後人，或可求之于在己。今拈一事而以四言括之，或有詩文，或有景物，綴而記之，或如水經之注，或如唐宋人小記，斐然成一家之言，爲近来著作家開此門逕，計莫善于此矣。昔年河決于北，湖決于南，近年淮河全奏安瀾，豈云鴻雪，應更有記。余當拭老目以先睹爲快。

道光十九年十二月臘日通家侍生揚州阮元序

鴻雪因緣圖記序

夫江淮禹穴，太史公之壯遊；金馬碧鷄，王大夫之使節。剌史柳州諸記，山水方滋；緇流佛國一編，煙雲過眼。雖歷向禽之五嶽，涉夫子之八州，情隨境遷，風流雲散，從未有綜厥前踪，被之圖繪，若今 河帥見亭先生者也。先生三韓貴胄，七葉名卿，讀賜書於綺年，宣壯猷於蚤歲。爰於退食之暇，俾寫留爪之緣，記言數千，爲圖八十。丹青則江山生色，金碧則樓閣交輝，固已擅董巨之長，竭趙李之藝矣。然而貢陳益地，僅分白阜之能；殿繪嘉陵，特屬黃圖之玩。雖資雅鑒，無與昔遊。又或生涯橐筆，身世勞薪，跡類書傭，事更府主，雖輪蹄之徧歷，實筆墨之牢騷。即或相如持節，博望乘槎，既目染而耳濡，復高軒而駟馬。然或梁孫關沫，西窮大夏之居；蠻戶龍人，南極反景之國。深箐蔽地，白葦刺天。當其流連，輒殷振觸。甚或一囊琴劍，萬里關河，瞻太行之白雲，吟隴頭之明月，當歸之藥徒寄，藁砧之詠無期。觸景生懷，無情有恨。山川雖麗，風雨興思。四者並難，千禩同慨，先生庭趨東郡，養侍南陔，聞詩三輔之間，走馬兩浙之域。時則湖探明聖，樓號韜光，想鐵弩之雄風，尋梅梁之故實。孫興公作賦之地，謝靈運著屐之山。風日清和，吟嘯諧鬯，此則先生未冠以前之緣也。既而文光東壁，戰捷南宮。終童上書之年，蘇頲對經之日。身依薇省，職效花磚，以西清之神仙，作東方之夫壻。金蓮許撤，畫舫徐行，巷合四明，車迎百兩。踏六橋之烟月，讀天一之圖書。逮夫供職木天，歸省泰岳，孔林展禮，明湖尋詩，養雲浴日之奇，漢碣秦碑之勝，摩挲不厭，嘯歌失懷。若乃觀仙蝶於太常，領珍鹿於史館，占清班於天上，留逸事於人間，此則先生三十以前之緣也。且夫黃鐘大呂，非扣無以發其聲；赤堇干將，非割無以知其利。先生一麾出守，五馬專城，訪文簡修禊之橋，拜忠宣授命之墓。探二水三山之名勝，搜六朝五季之遺聞。秋風白塔之煙，夜月犂徽之址，俯仰今昔，感慨係之。既涖徐摛作郡，任昉之官，拔薤除奸，種棠勿伐。鳴琴播治，人訝神君，奉輿行春，民歌壽母。其間黃山白嶽，昉溪硃泉，帆湖桃源，轃攀練浦，凡縈青而繚白，供抽秘而騁妍。視篆汝陰，觀察忠武。隨會莅官而盜靖，賈讓治河而波恬。赤白之丸不探，竹箭之流允翕。甲吹臺之名彥，懷百泉之隱君。太室伊闕之瑰奇，梁苑風陵之勝槩。金勒所至，斑管輒圖，此又先生四十以前之緣也。嗣是陳臬旬宣，建牙開閫，蠻花四照，湘蘭載紉。圖所關如，心馬企及。寯藻以中春令序，塗出清江，覲挹芝芬，細瞻藻繪。竊卜先生以九能之才，無四難之累。此後星明台鼎，功奠河淮，贊化斗樞，調元綸閣。飛遵鴻陸，流惠愛於袞衣；畫入麒麟，紀勳名於樂石。則此冊也，誠不過風雅之編年，雪泥之陳迹也已。

道光己亥八月愚弟祁寯藻拜譔

古者男子生，即設桑弧蓬矢，示有志於四方。然則遊亦人生分內事，况自任以經天緯地之畧，而寓之於五嶽四瀆之游乎。嘗讀孫文定公南遊記，始則東抵晉昜，繫舟石臺之山，懸甕難老之泉。後復遠涉南行，閱歷燕、趙、齊、魯、鄭、衛、吳、越、三楚、兩粵之地，筆札隨身，每於所遊之名山及所遇之古蹟，大書特書不一書，著為一大文章，計為六千五百字為奇，洵奇製也。初，百菊溪先生於文定公為瓣香之誼，錢唐汪國子先生庚六為私淑之誠故相与謀付剞劂氏，南遊記刊本乃行於世。今讀吾夫子鴻雪因緣圖記，以汪君春泉工山水，積三載得七十八幀，夫子於政暇餘功，遂幀追憶舊游為之記，振筆直書，洋洋灑灑如水銀灘地，無孔不入，計為八千萬，不可謂少矣。其中山川鍾毓之奇，民人風俗之異，功名遇合之顯，鬼神呵護之周，仙佛機緣之巧，無不具備，南游記不得專美於前矣。王君蹦庭亟為編次成帙，數請付之棗梨。湖自春泉翁之圖，鼎庭為之跋，又寓書命爲之序，蓀辰不敢以不文爲辭，謹如所命。竊思春泉、鼎庭及蓀辰三人，皆在弟子之列，相契於沆瀣一氣者至近且深也。是何也，蓋折心於功業、學向、性情、道德之間已歷有年，凡所見而所聞者，要別有息息相通之故，正不徒在文字語言之末而已。謹為序。

道光己亥歲仲夏愛棠郎葆辰拜撰

鴻雪因緣圖記序

夫一官一集，王筠以著作蜚英；八葉八圖，蕭遘以衣冠紀盛。前徽合轍，自古為昭，大雅扶輪，及今未艾。矧夫

熙朝柱石，令望斗山。薈萃潘江陸海之才，對揚

堯醲舜薰之化。陽春有脚，共瞻宋璟之前麾；函夏傾心，願畫放翁于團扇。口碑所載，因之生色丹青；手筆斯垂，用以增輝朱紫。將詩助繪，代

譜編年，固宜壯苑之傳神，絕勝東方之自贊。

此鴻雪因緣圖記所由作也。

河帥見亭先生金源世系，珂里名門，指明月為前身，應福星而度世。訂會昌一品之集，可知賢相生平；備摯虞諸體之長，為述詩家本事。當夫歲陽建亥，嶽降生申，謝超宗池上鳳毛，蘇玉局眼中犀角。趨庭受訓，家有青箱；就塾攻書，僊貽丹葯。蕉葉藤花之倡和，遂呈座上宣文，龍頭馬耳之功名。猶憶梦中簽判。因緣伊始。此其徵焉。於是霓裳同賦，雲路先行。以庚蘭成射策之年，爲劉舍人清班之選。花開紅藥，好在木天四載之居；郎是紫薇，喜逢人月雙圓之節。良辰稱娖，佳耦團欒。既而返棹甬江，還車

魏闕，閬苑之彩鸞竝駕，太常之仙蝶重看。東觀校書，時有青藜照讀；南曹分職，旋教

紫禁承

恩。佩實銜華，黼黻宮詹之事；珥彤書笏，纂修

宬史之文。下直無閒，

上方有賜。洵玉堂之佳話，非鉛槧之陳言。此固因緣之可圖可記者也。且夫鼓吹休明，長於文學者膺其選也，平章殿最，優於政事者簡厥脩也。

天子以任無内外，兼濟者良；爵有崇卑，漸進則吉。

以故山濤啓事，江斆分符守宛陵，一夔已足，移嶶郡，五馬先驅。板輿迎入汝陰，承歡桂宴，繡肥巡行洛下，晉秩柏臺。屏翰黔中，栟櫚楚右。其間剡章連牘，閭澤隨車，惠風春揚，峻節秋肅。任園是何蟲豸，剔蠹釐奸，文公能徙鱷魚，除蛟繼美。式古闕而羣賢進，塞宣房而萬福來。遂使來暮謠興，去思碑勒。樾蔭不分於畛域，棠陰再詠于篇章。借寇無繇，鑄金以事賈島識韓有願，買絲而繡平原。此尤因緣之可圖可記者也。然使勲高鐘鼎，未能潤色煙霞；志切經綸，或致違情風雅。將嵇叔夜一行遂廢，亦虞永興五絶未全。

先生則樂水樂山，勝情勝具。探梅問柳，早游兩浙東西；放渡揚帆，徧歷一江南北。乘禹門三級之浪，觀齊州九點之煙。景攬岱嵩，五岳已游其半；氣吞雲夢，三都曾鍊於初。而且禹穴碑尋，義陵著揲，問楷模於曲阜，新綽楔于靈壇。搜岩書則范氏天一，酹江月則李白人三。道滋之琴，洗耳於僧寺；校秉之筆，應手於秋潮。黄海探奇、任僕射之流風未歇；紅橋修禊，王司李之韻事重新、凡謝公屐齒之所經，皆昌谷錦囊之所貯。簜函竝載，虀白頻題。此又因緣之可圖可記者也。令

先生功冠臣僚，位隆

帝簡。由封疆之敭歷，為河海之保障。連汛安瀾頻
年入奏；中流砥柱，全境胥恬。漕運周通，皆是
韋平經略；榮光煥發，並為燕許文章。九能而
為大夫，勛名世仰；
一德以孚
聖主，福壽
天申。烟雲寫向日之襟懷，珠玉落隨風之咳唾。八
十幀妙墨，當時如先以乘韋；廿四考中書，他

日待圖成補袞。此則可續有因之果，更結無盡之緣者矣。世耀西湖游釣，南浦棲遲，龍門未御乎李膺，豹斑先窺于王氏。欣然讀畫，願盥薔薇，率爾引喤，莫諧金石。比玉臺之序于孝穆，敢云媲美於前。如滕閣之序于昌黎，竊幸掛名其上云爾。

道光十九年己亥立夏日仁和鍾世耀謹序

凝香室鴻雪因緣圖記總目

長白麟慶見亭氏著

第一集

小照自題　延年玩丹
環翠呈詩　靜存受經
慈雲尋夢　西湖問水
淨慈坐禪　韜光踏翠
錢塘觀潮　玉泉引魚
六和避險　赤城餐霞
石梁懸瀑　禹穴徵奇

西溪巡梅　敷文載筆
永嘉登塔　石門躍鯉
京兆報捷　昆明望春
午門釋褐　瓜洲泊月
寄暢攀香　虎邱述德
蘭亭尋勝　天一觀書
海船望洋　六橋問柳
震澤瞻龍　鳳閣吟花
海嶽浴日　後塢養雲
石峪搨經　郡園名鶴

闕里觀禮　孔林展謁
明湖放棹　靈巖聽濤
仙蝶證緣　二牐修禊
史館承恩　禹門激浪
潭柘尋秋　夢薌談易
史宬启匱　盧溝策騎
紅橋探春　燕子揚帆
大觀醉雪　隱仙聽琴
隨園訪勝　莫愁尋詩
翠微問月　采石放渡

白嶽祈年　歙嶺訪案
昉溪迎母　與春同詠
古關式隱　祁閶勒碑
桂宴承歡　雲門拄杖
硃泉滌俗　慈光問徑
始信覘松　芳邨獻茶
練浦攀轅　桃谷奉輿
潁川靖盜　上南搶險
義陵謁聖　蘇門詠泉
大梁補梅　中嶽升香

少林校拳　萬安謁墓
伊闕證遊　柴壩巡春
吹臺訪古　蘭館寫照
第二集
小照自題　帝城展覲
樂存謁師　南池誌喜
梁苑詠雪　榴廳治書
鐵塔眺遠　鳳岡校獵
大伾觀河　藩署酬香
再至侍選　宴臺訪碑

敘德書情　椹澗望雲
南陽訪舊　元妙尋蕉
漢江曉渡　桃源問津
穿石窺光　明月證經
玉屏問俗　相見叱馭
雲頂踏雲　黔靈驗泉
甲秀賞秋　翠屏放牛
水口參燈　黔疆閱武
獅巖趺坐　苗猓獻忱
扶風春餞　圖雲卧轍

牟珠探洞　飛雲攬勝
酉山鼓棹　機巖志異
清浪下灘　流花泛湖
荊營驗馬　息壤攷古
清晏受福　天然定誌
平成濟美　福興起碑
清華品秋　貞應培堤
惠濟呈魚　西園賞雪
雲龍聯詠　高明讀畫
妙高望月　甘露凌雲

焦山放鶴　三詔題名
別峯尋徑　海門坐雨
詠樓話舊　桃菴雅敘
謙豫編圖　氾光證夢
賞春開宴　湖心建塢
龜山問井　洪澤歸帆
荷亭納涼　東園探梅
河口問壽　皂河喜雨
龍門湖市　福壽拜恩
梅花校士　文匯讀書

綠野泛舟　雙樹尋花
桃泉煮茗　金山操江
石公驗礮　儀徵設局
智信宣防　芭香寓松

第三集

小照自題　蚌佛紀緣
黃樓拜蘇　夢莊述異
葦營合操　抱孫銘喜
英勇請纓　豐蕭啟埂
安淮晚鐘　盱眙望山

玻璃把泉　汪園問花

普應譚相　風虎弔古

康山拂槎　卸肩集句

江北督師　汎舟安内

中河移塘　竹舫息影

袁浦留帆　微湖説泇

分水觀汶　臨清社火

津門競渡　金鼇歸里

半畝營園　雙仙賀厦

賜塋來象　仙橋敷土

架松卜吉　詩龕敘姻
戒臺玩松　猗玕流觴
靈光指徑　秘魔三宿
香界重遊　五塔觀樂
淨業壽荷　拜石拜石
平安就日　董墓嘗桃
寶藏攀桂　臥佛遇雨
碧雲撫獅　半天御風
大覺臥遊　龍潭感聖
玉泉試茗　旃檀紀瑞

嫏嬛藏書　天壇采藥
夕照飛鏡　近光佇月
佛香瞻相　邯鄲說夢
料廠聞捷　引河搶紅
藏園話月　黃廟養痾
相國感蔭　弇工合龍
同春聽箏　庫倫奉使
衛輝觀碣　湯山坐泉
居庸挹翠　豐臺賦芍
丫髻進香　天成訪醫

雲罩登峯　　靜寄瞻樓
晾甲酌泉　　中盤紀石
劒臺品松　　園居成趣
房山拜陵　　五福祭神
退思夜讀　　煥文寫像

江寧柏簡齋監刻

凝香室鴻雪因緣圖記目錄

長白麟慶見亭氏著

第一集上册

小照自題　延年玩丹
環翠呈詩　靜存受經
慈雲尋夢　西湖問水
淨慈坐禪　韜光踏翠
錢塘觀潮　玉泉引魚
六和避險　赤城餐霞
石梁懸瀑　禹穴徵奇

西溪巡梅　敷文載筆
永嘉登塔　石門躍鯉
京兆報捷　昆明望春
午門釋褐　瓜洲泊月
寄暢攀香　虎邱述德
蘭亭尋勝　天一觀書
海船望洋　六橋問柳
震澤瞻龍　鳳閣吟花
海嶽浴日　後塢養雲
石峪搨經　郡園名鶴

闕里觀禮　孔林展謁
明湖放棹　靈巖聽濤
仙蝶證緣　二牐修禊

昆宗朱子三十九歲小像

汪英福恭寫

[印]

是文星是福星自弱冠掇巍
科由薇省入槐廳出麾兩守
露冕四巡煥文章為事業旋
德政為典型登名山涉大川
半天下皆足跡之所經擷華
乎豪素炳采乎丹青此儒臣
器宇雅人標格不才何幸而
親仰德馨

吳縣戈載贊

臣戈載

順卿

小照自題

知者樂水，仁者樂山，一動一靜，天趣相關。蠢哉斯人，置身其間。惟

君恩與

祖德，故幸邀山水之緣。

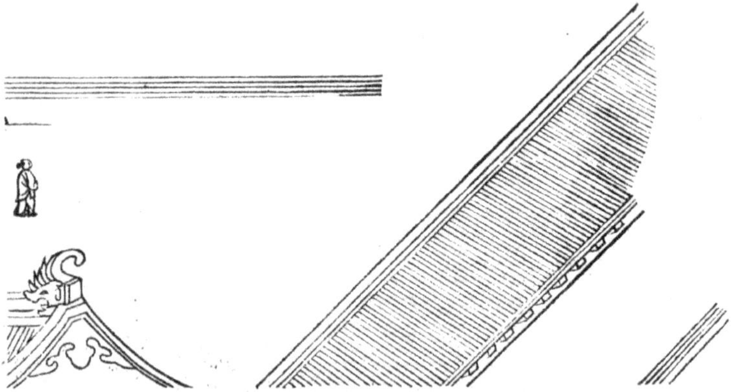

延年玩丹

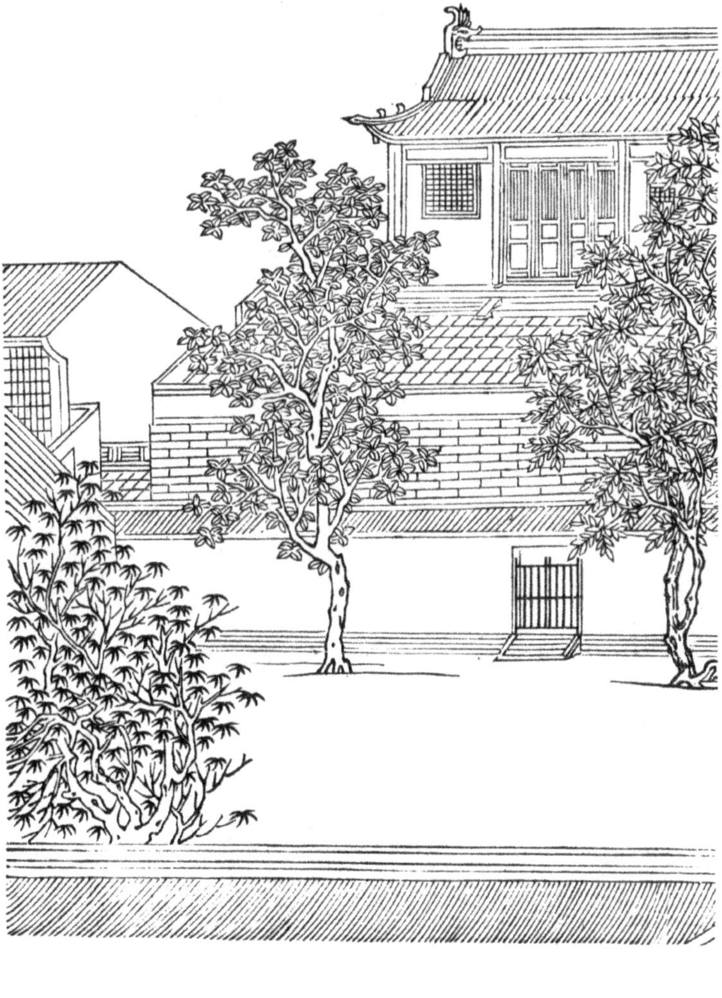

延年玩丹

乾隆五十六年，歲在辛亥，三月十四日，麟慶生於
河南南陽府署，時
大父曉巖公官知府。越五載，嘉慶元年丙辰，余六歲，
大父親教識字，並習
國語。丁巳，遷糧鹽道侍官赴省。戊午，年八歲，居道署之二堂後，有院一區，樓三楹，篆額曰延年。相傳有仙居之，扃鑰嚴密，非朔望祭祀，戒勿啟。樓下東偏，設有家塾，延
曹蓄齋師，（諱莘，安徽太湖，歲貢生。）余就塾必經樓下。一夜晚歸。月明如晝。忽見樓頭飛起一丹，

其圓如珠，其赤如火，隨風直上，與月爭光。繼起者倏隱倏現，飄颻無定。少頃，一丹飛入雲際，自上而下，芒含五色。又有一丹，自下而上。兩丹相值，化為千百，如瓔珞四垂。方注目間，一丹斜飛落肩上，余驚呼，丹即不見。比道光五年，余由安徽潁州守擢河南開歸管河道，抵省之日，先拜樓下。有詩云：少小曾遊處，而今作宦遊。未參新政府，先問舊書樓。

祖德期無忝，

君恩那得酬。觀民原乏術，況復奠黃流。均紀實也。

環翠呈詩

環翠呈詩

嘉慶辛酉，大父以河南布政使督兵防江，九月薨於舟次。諭獎平日官聲甚好，賜祭葬，予蔭，以示優卹。先是，庚申十有二月，吾父曙墀公在江蘇蘇州府同知任内，奉大母索綽羅太夫人（滿洲正白旗人，太外祖巽齋公諱德風，乾隆壬申進士，官侍郎。）諱，入都守制，至是偕石屏叔（諱廷鈞，後官直隸同知。）恭赴軍中迎櫬，歸次直隸栢鄉縣，又奉生大母陸太恭人（順天香河人。）諱，吾母惲太夫人江蘇陽湖人。外祖芝堂公諱毓秀，官典史。嘉慶二十四年麟慶任中允時，恭遇覃恩，貤封奉政大夫，外祖母氏莊宜人。恭迎曾大母戴佳太夫人滿洲鑲黃旗人。太外祖諱那蘇圖，官總督，加太子太傅，諡懿勤，入祀賢良祠。回京，寓鼓樓東舊宅，孝養盡歡。宅東有軒曰環翠軒，前馬纓花一株，大可合抱。古藤二架，清陰約半畝許。植蕉壘石，楚楚有致。每夏月曾大母納涼其中。余年十一，偕仲文、名麟昌，時年十歲，後官武備院庫長。季素名麟書，時年八歲，後官廣西知州。兩弟暨大妹時年七歲，後歸董刺史衍禁。承歡膝下。一夕風清月朗，嚴慈製詩倡和奉娛，余始學為詩，亦呈一律云：花外漏沈沈，空軒月。正臨。椿萱欣並茂，詩禮訓交深。偶坐陪良夜，承歡愜素心。願隨長者後，點筆效清吟。

靜存受經

靜存受經

壬戌，余年十二歲，偕兩弟暨顧春谷、名寅亮，江蘇，監生。惲子尚名受章，後中舉人，今官知縣。二外兄，子駢外弟，名彙昌，後入邑庠，官訓導。張曉樓、名綺春，漢軍，謄錄官，後官鹽大使。豫星階名泰，漢軍，廩生，後中舉人，官知府。受經於潔士舅氏，諱秉怡，道光元年舉孝廉方正。顔書塾曰靜存。余一日入塾稍晏，出對曰，紅日滿窗人未起，應聲曰，青雲有路我先行。舅氏稱賞。尋命屬甚於水火題，文得解，批云：精理為文，秀氣成采，童年有此，將來豈非扶經心執聖權者乎。因喜謂吾母惲太夫人曰：此子聰明過人，切勿寬假，以成其學。

嗣　確士舅氏諱秉恂，官湖南典史。來都，亦以為言。自是

慈訓加嚴。時承

恩廕例得六品。乃部吏索費，不遂其欲，因議加

大父太常寺卿銜，照銜予廕，外似從優，其實已降七品。並稱內務府無小京官，應對品以筆帖式用，有

心阻抑，而適堅余讀書之志。蓋

燕翼貽謀，天心默佑，故令麟慶克承

祖廕爾。再余初受業於　鄭月灘師，諱道印，河南偃師人，乾隆乙卯進士，官教授。次　曹蓄齋師，次　潔士舅氏，次　鈕公瑜師，名士元，順天人，戊辰同榜舉人，後官知縣。謹并誌之。

慈雲尋夢

慈雲尋夢

余年十四時，忽夢至一寺，牓曰慈雲。門前近水拖藍，遠山疊翠，有釣叟泛舟蘆港，得句云：幾處蘆花幾樹煙，水村漁市正相連。綠簑青笠歸來晚，渾似江南畫裏船。詩成入寺，步至西偏，尋徑抵一園，池面荇藻縱橫，秋海棠倒垂水上，紅綠掩映。池上結廬，額曰退思。楹帖云：一生事業龍頭角，半世功名馬耳風。余入室小憩，即行。轉至一廳，見七座，判事三人南向，四人東西向。其西向第一人起，讓余坐，吏即呈簿請判。簿面有因緣二字，以金鑄成，隨取筆標判。忽睹己名，見後幅繪一亥相。判畢出廳南行，另闢一門，仍至寺外。有船順風揚帆，心為之快。又有人飲馬灘邊，馬赤色，灘陷，馬落水，一驚而寤。醒後，餘不復記。此甲子冬月事也。嗣余以戊辰舉於鄉，壬午出守，與龍頭馬耳之讖合。初娶瓜爾佳，滿洲正白旗人。繼娶書書覺羅，滿洲鑲黃旗人。二內子年相均不合。歲丙子，省

親泰麓，羣以續弦來媒說，

嚴慈頗難其選，乃命詣趵突泉，禱於

呂祖，得有約還如夢籤。適王古愚司馬名殊渥，直隸，舉人。為

程佳內子（漢軍正白旗人。）議婚，恰符簿相，遂委禽焉。于歸後，事親以孝，教子有方。故余歷宦皖豫黔淮，無內顧憂。天定良緣，夢中預示。茲集所繪，皆親歷實境，惟此幅與禹門激浪，均以吉讖，特繪虛境焉。

西湖問水

西湖問水

丙寅正月，吾

父曙墀公以知府分發浙江，先行。二月，隨

母奉

曾大母由水路南行，將解維，車珊濤丈（名旺多爾濟，蒙古恩監。）贈詩云：一年春色無多少，君到西湖著意看。比抵杭，已六月初矣。適李康皆丈（名步瀛，山陰，廩生，後官教諭。）自山陰來，相約遊湖。因即日同仲文弟，詣湧金門外問水亭，買舟鼓棹中流，四望羣峯，環立如屏，堆青潑黛，紺宇丹宮，映帶左右，攬之如在襟袖。隨謁水仙王祠。向夕，放船入荷花深處，香風徐來，水波不興，頓忘酷暑。余折碧筒吸酒，月上始歸。後官京師，每憶斯遊，不禁神往。曾詠憶西湖十六截句，其一云：迎薰閣外綠波肥，十里荷香人未歸。若許夢中身化蝶，今宵應傍藕花飛。攷天下稱西湖者三十有一，惟錢塘明聖湖最著。漢時有金牛之瑞，見酈道元水經注，不特便於遊覽，實則富有水利。唐李鄴侯開六井，白香山甃石堤，宋蘇東坡築葑田，其利益溥。元明未治，漸就湮塞。我

朝雍正二年，巡撫李敏達公名衛，江蘇，監生。奉

敕開濬，爲浙西大利，至今民生攸賴。且復古蹟，修志書，有
功於西湖者不淺，宜其配食水仙王也。

汪雪民絲匱言

慈净

坐禪

淨慈坐禪

余自抵杭後，因水土不和，患瘧幾殆，乃避居淨慈寺養疴。其方丈主雲上人，有道僧也。忽謂曰：觀君神氣極清，病尚可為，有緣相遇，能一坐蒲團否。余應曰，諾。因相邀至丈室，設具對坐，几上焚香瓶中咒水，湘簾窣地，四無人聲。迺甫就坐，煩熱不可耐，既而寒慄又不可耐。見主雲閉目垂眉，靜氣相攝，强制片時，而亦入定矣。主雲為說無生之偈，忽聞風敲修竹，頓開禪悟，吟詩曰：最愛湖南第一山，漫尋雲路叩禪關。蕭疎窗外千竿競，話到無生意自聞。主雲大悅，合掌曰：愈矣。即起滌硯抽毫，作水墨南屏山便面答意，並鈔示薑棗湯方，囑以代茶，戒食扁豆。歸卧旬日，瘧疾遂除。攷寺原名慧日永明院，建於周顯德元年。吳越錢忠懿王俶迎僧延壽居之，著宗鏡錄百卷。宋時，僧道濟因殿燬於火，疏募巨材，有香積廚井浮湧大木之異。又有僧手塑五百羅漢，像成，坐化，建堂奉祀，改今名。元明屢燬屢建。

國朝康熙四十六年重修，閱三載工竣，

聖製碑文，並書聯額：輝映湖山。雍正十一年，特旨加封延壽為妙圓正修智覺禪師，頒選刻心訣、心賦、宗鏡錄、萬善同歸集等書於天下叢林，飭有司修理塔院，查明法嗣，重裝淨慈寺舊供法相，寺名益著，代有高僧。主雲法名際祥，其傳燈正派也。

沈雪旦繪圖書

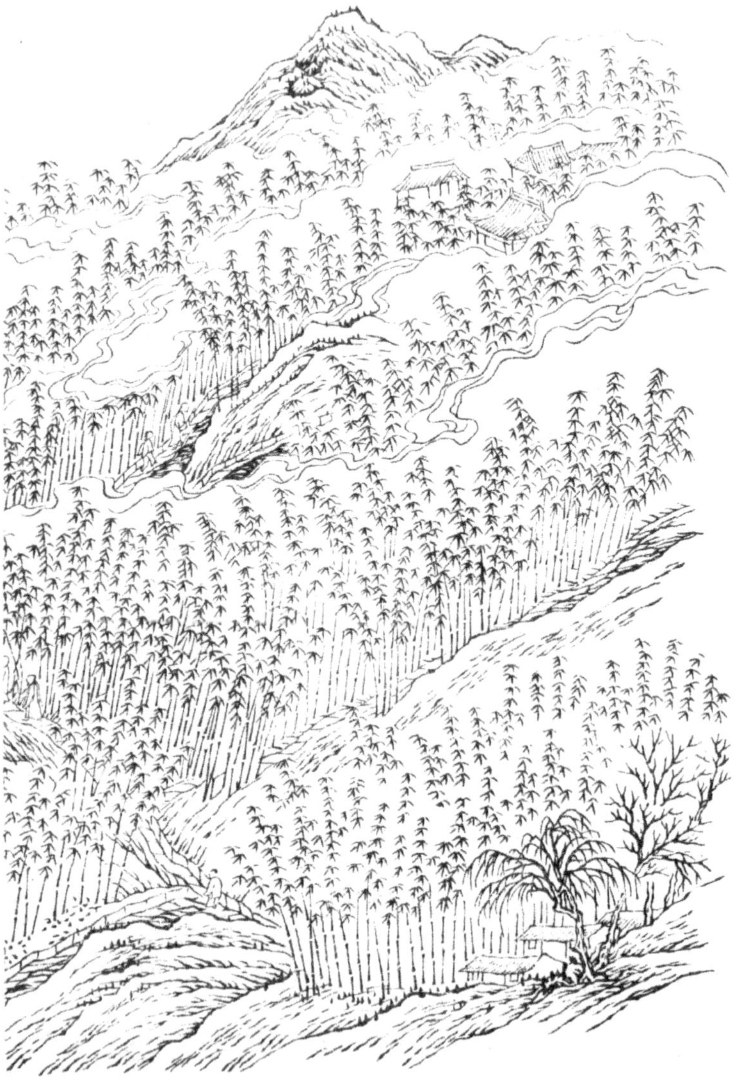

韜光踏翠

韜光踏翠

韜光菴在北高峯之麓，懸崖結屋，勢若凌空。菴後有洞，洞側建樓，正對錢塘江，江盡即海，以唐人宋之問有樓觀滄海日，門對浙江潮句，遂以觀海得名。其實竹徑不亞雲棲，余曾隨　潔士舅氏，及子尚外兄，仲文季素兩弟遊飛來峯，小憩冷泉亭後，穿靈隱寺羅漢堂而西，徑路屈曲，筠篁蒙密，人行翠影中，仰不見日色。轉入轉高，不辨所出。山僧剖竹引泉，隨磴道盤折，琤瑽作琴筑聲，傾耳可聽，延緣三四里，始達菴中。山窗澗戶，明淨無滓，每一憶及，令人有出塵之想。按韜光本蜀僧，唐長慶間結茅於此，與鳥窠和尚、秦望山僧，名道林。布毛侍者招賢寺僧，名慧通。為友。時白香山官刺史，嘗具饌招之以詩曰：白屋炊香飯，葷羶不入家。濾泉澄葛粉，洗手摘藤花。青芥除黃葉，紅薑帶紫芽。邀師相伴食，齋罷一甌茶。師答曰：山僧性野好林泉，每向巖阿枕石眠。不解栽松陪玉勒，惟能引水種金蓮。白雲乍可來青嶂，明月難教下碧天。城市不堪飛錫去，恐妨鶯囀翠樓前。其高致可想。至今菴以師名。

錢塘觀潮

錢塘觀潮

錢塘俗傳八月十八日為潮神

蔣侯聖誕，是日潮最大。丙寅秋月屆期，余病小愈，隨潔士舅氏詣秋濤宮前候潮。遙望海門，白光一線，少焉，風鳴水立，弄潮兒持篙迎擊，撥船乘潮頭西下，頃刻至富春，折回海門中，忽又起一潮，湧至蔣侯廟前。兩潮相合，雷擊霆砰，流沫飛濺天半，大地若為動搖。奇瑰之觀，實甲天下。蓋江皆有潮，獨浙江形如之字，江勢三折，且海潮逆上江水入海之處，對峙龕赭二山，約束海潮不得騁，潮與山爭勢，激而為濤。所以枚乘七發有云，觀濤必於廣陵之曲江也。乃近自浙江來者，皆云潮勢不旺。余竊疑之。頃晤桂杏農（名萱，覺羅，戊辰同榜舉人，後官鹽運使。）談及，始知海有三亹，龕赭二山在南，中曰小亹，今漸沙淤，潮行北大亹，海寧尖山適當其衝，以故入江勢弱。滄桑小劫，其信然歟。攷夢粱録載，蔣侯弟兄三人，名崇仁、崇義、崇信，力行好事，里人立祠表其德。錢塘志載，咸淳三年，賜祠額曰廣福。六年封神，皆侯爵，曰孚順、孚惠、孚佑。立廟江干，威靈赫奕，簫鼓旌旗，杭人歲修醮事，香火極盛。此外，潮神之最著者，有吳

行人伍員，宋尚書張夏，歷代崇祀。雍正二年，
敕封伍員爲英衛公，張夏爲靖安公，春秋致祭，載在祀典。
侯之苗裔，現居西溪蔣村，尚私祀於鄉者也。

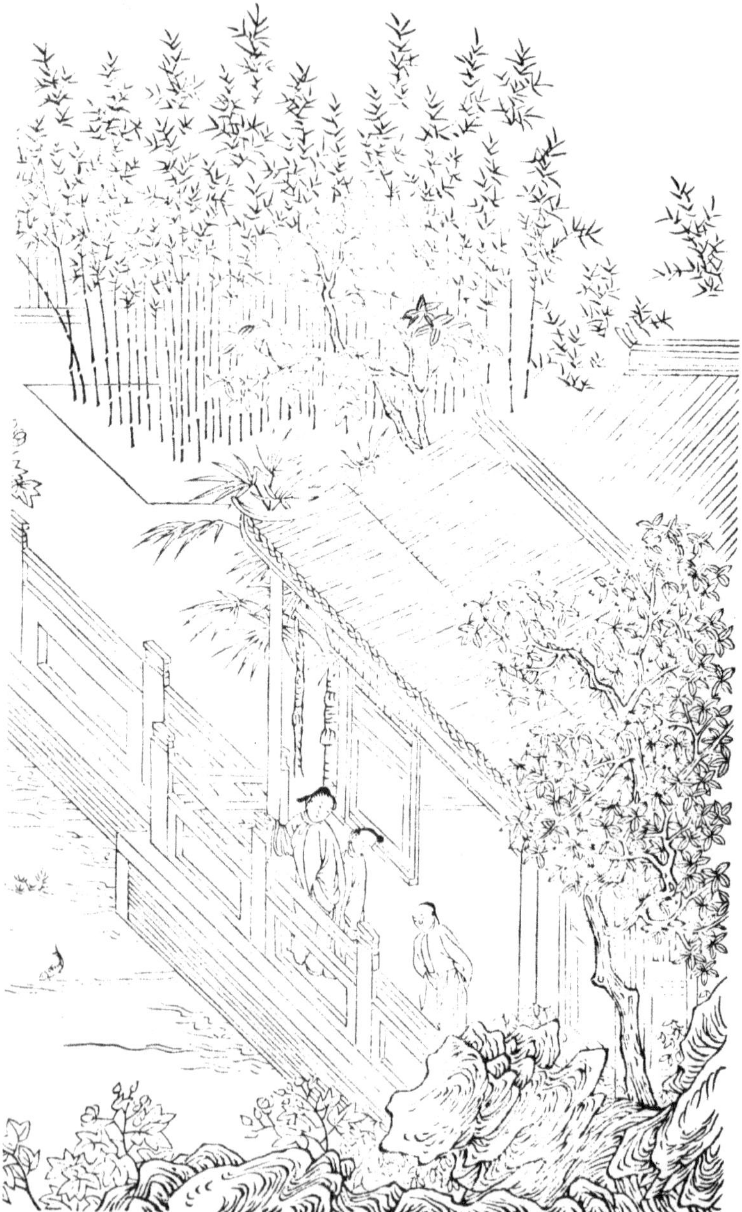

玉泉引魚

玉泉引魚

按西湖八景，其四曰花港觀魚。人爭豔羨，余往觀之，池已就湮。訪知近日以清漣寺玉泉為佳，適風日晴和，芙蓉盛開，啟知吾
母，奉
曾大母往遊，臨玉泉池。池水清可鑑底，其中蓄五色文魚，長尺許，浮沉上下，鱗鬣可數。投以香餌，輒揚鬐而來，吞之即去。環池栽木芙蓉，花開四面，濃豔拒霜，花影落水，與朱蘊碧藻點綴映帶。
曾大母顧而樂之，命依檻設席，置餌引魚。魚亦不驚，

以泳以游，咸若其性，轉與人相忘矣。其旁有淨空院，爲南齊僧曇超説法，龍來聽經，撫掌出泉處。又嘉應祠，宋時大旱，禱雨輒應。封曇超爲靈悟大師，龍爲嘉應公。立像處，又細雨泉碎珠濺泡，斜風疎點，人疑雨過，故名爲宋僧能會咒水濟人處。又洗心亭左右，夾以迴廊，環繞泉池，爲遊人凭檻觀魚處。魚有金黄、銀白、玳瑁、翠藍等色，長尺者不敢取。春日灑子荇藻間，土人拾得，貯以瓷盎，蓄養出售，名魚兒活。故余詠憶西湖詩，有云：自從花港蕭疎後，爭逐遊人赴玉泉。

六和避險

六和避險

杭州城南龍山月輪峯，有塔曰六和，宋開寶中建造，以鎮江潮，高九級，後廢。紹興中重修，七層而止，又燬於火。我

朝雍正十三年重建，其下有寺，亦名六和。寺後有門，在山之陰。丙寅冬初，隨潔士舅氏往遊雲棲，取道江岸。余喜沙灘平坦，從而後。忽一人奔至，大呼曰：潮來，曷為在此。甫回頭，而水勢已洶湧將及。遙望前途，有石磴一，疾趨而上。比登其巔，則沙灘及石級下層均已浸沒。見柴扉靜掩，自內扃鑰，其中

古木蕭森，杳無人跡，四顧蒼茫，孑然獨立。適時潮退，尋徑而下。適舅氏沿岸來迎，詢之土人，始知為六和塔後門。因灘路上水泥滑不可行，迺循山坡而上，竹樹叢密，逾轉逾高，崖陡不得路。俯見桑園，淺沙鋪地，矮樹成陰，遂隨舅氏相躍而下，猘犬驚吠，幾為所傷。有老婦呵止，問明，笑引出園。遙見孫塔凌霄，土焦色赤，薜蘿絡之，紅綠可愛。老婦指曰：此雷峯塔也，向之過一嶺即淨慈寺矣。辭謝，行經虎跑泉，餒甚，飲泉酒，啖健兒飯。入候潮門，歸寓，驚定而喜。洵從遊至險之境，亦從遊至奇之境爾。

赤城餐霞

赤城餐霞

丁卯三月，吾

父攝篆台州，麟慶隨侍。路經天台山，滿擬遍訪華頂、瓊臺、桐柏觀諸名勝，因雨未果。時已春深，終日在層巒疊嶂中行，濃翠欲滴，忽抵赤城山下，遥望天半，耳目一新。蓋萬山皆雄青雌碧，獨此壁立千仞，土色純赤，赬面横掃，中有兩三層，間以淡緑，恍若霞氣，又值宿雨初收，朝陽煥采，下輿瞻眺，秀色可餐。始悟孫興公賦目之為城，又云霞起建標，真能寫難狀之景。余亦有紀遊詩云：小坐籃輿日向辰，天台佳處絕凡塵。四圍翠繞疑無路，一徑紅深別有春。華頂煙濃迷野鶴，石梁雲護隱仙鱗。南來到此休惆悵，曾有桃源舊主人。聞山上有寺曰朝陽，洞曰玉京，井曰洗腸，亭曰杷翠，均因雨霽石滑，倦於登涉。東行，抵國清寺，松檜陰森，殿宇宏麗，山環水抱，天台大觀。相傳為寒山、拾得二僧隱於爨下處。唐閭邱太守將之任，豐干告以二僧為文殊、普賢化身。太守至寺訪見，寒山大笑曰：豐干饒舌。走入石壁，拾得亦誦偈隨行。閭邱子因棄官為僧，涅槃寺中。又東行，過桃源洞口，相傳為劉晨阮肇採藥處。今路側小溪之上，有新碑，鐫曰劉阮重來。蓋中丞阮雲臺、名元，江蘇，進士，今官大學士，加太子太保。學使劉金門名鳳誥，江西，探花，後官侍郎。二先生按事同到而題，甚韻事也，

汴雒日經圖書

石

梁懸瀑

石梁懸瀑

余幼讀孫興公天台山賦，至赤城霞起而建標，瀑布飛流以界道，心焉慕之。丁卯春，既遊赤城，擬觀飛瀑，以雨未果。遂由關嶺、百疊嶺入郡。秋九月，侍宦回省，道出天台縣，從　潔士舅氏取徑萬松，望國清寺，臨溪跨壑，金碧飛湧，東行逾數嶺，山轉林深境，益幽僻，並樵蹤溪溜所成徑，地非峭壁，則皆濃花異草，幔山而生，有兩崖相距不接者數尺，是為雙闕，俗名斷橋。沿山右行，過雙溪矼，乃抵石梁。相傳為五百應真會修之所。梁龜背龍形，長亘二丈，廣不盈咫，脊隆寸許，對壁路絕處，僅一佛殿，有從人鼓勇欲過，聞瀑吼聲，股戰而仆。余大笑。舅氏曰：此間平視未盡其妙，若自下睇上，必有奇觀。應曰，諾。乃相與循崖而下，坐濯纓亭，仰望梁上，有雙溪水合流直注，如練如虹，橫飛噴灑，如雨如霰，又若萬斛雪從空擲下，銀晶奪目。比至潭底，以其餘怒，嚙山噬石，輒復逆上，有聲如雷，眞奇觀也。因憶王思任遊記，謂他山之瀑渾圓條直，不盡布義，獨此扁落梁若機橫其上，實覺先獲我心。小立時許，陰冷逼人，仰視兩崖陡絕，不容寸土。有小紅樹倒黏石壁，別饒逸趣。會暮煙將合，遂越溪投下方廣寺宿焉。

法雲三絲區言

禹穴徵奇

禹穴徵奇

大禹陵在浙江會稽山。越絕書載，禹巡狩大越，死葬會稽，葦槨桐棺，穿壙七尺，壇高三尺，土階三等，延袤一畝。宋明以來，均置陵户，嚴禁樵採。我

聖祖仁皇帝御書地平天成四大字勒石陵前。

高宗純皇帝親詣祭告，典禮優崇。其西有窆石高丈許，頂有圓孔，舊經以為葬時取此為窆，上有古隸，不可讀，今覆以亭。又有梅梁在廟中，相傳張僧繇畫龍其上，夜風雨，輒飛入鑑湖與龍鬭，後人見梁上水淋漓，異之，絆以索。丁卯秋，余自台回杭，路經百疊

嶺，觀紫陽禪仙修眞所，望天姥山，識太白夢遊境，問苧蘿村，訪西施浣紗處，泛鑑湖，飲賀監一曲亭，並目睹天台署懸空缸、新昌界雷分樹之異。比抵會稽，主李恒園先生名耀璋，曾客先祖幕中。家，暇日偕康皆丈先生長子劉月珊、名占桂，山陰，廩生。何寅士、名煊，蕭山，生員，後鄉會同榜，官巡撫。婁棠村、名道南，會稽，職員，後入余幕。鍾春巖名調梅，山陰，監生，後中舉人。

登山謁

陵，考證古蹟，一一不爽。昔太史公司馬遷文云：二十而南遊江淮，上會稽，探禹穴。是年余甫十七，計少太史公三歲。

西溪巡梅

西溪巡梅

西溪在西湖北山之陰。由古蕩溪而西，俱稱西溪。曲水彎環，羣峯迴繞。居民以種梅為業，不事雜植，且勤於培護，大而多致，緗英綠萼，種類不一。傳以永興寺前二株為最。康熙三十八年，

聖祖臨幸其地，勅禁樵採。民生樂利，至今永賴。丁卯冬，社友丁進齋（名晉，仁和生員。）招余往遊，同駕小舟，緣溪行，一望彌漫如雪，清芬襲人。約十餘里，舍舟登陸，先至高莊。莊為高澹人詹事（名士奇，錢塘諸生，康熙間以書法受知，改官翰林，供奉南書房。）別業，由短橋穿竹徑，延緣而入為莊，入門

為堂，頗軒敞。有樓三楹，恭懸
聖祖御題竹窗二字。瞻仰
聖藻，草木增輝矣。次至九沙柏家園左觀梅花泉，其泉從地湧起，散作花瓣，與溪上之梅相似，亦一奇也。溪旁名園，張莊最麗，有嘉植亭、皆春閣、自得泉、一枝巢、竹西草堂、拈花書屋，而總顏其門曰：柳暗花明又一村，為郎中張彙別墅。陸莊最幽，四面皆水，非舟不通。遶莊植桑竹梅杏，環以短籬。西有舫室臨半月池，為讀書處。東有屋數椽，面臨方池。錢塘陸階奉母居此。又洪園，明尚書洪鍾別業，已屬他姓，惟餘小郎，尚可登眺。又汪莊，本汪氏園，後歸詹事部遠平。堂曰就山，前有古梅數百本，內綠萼一株，虬榦夭矯，青枝倒垂，花開時儼如鳳翅，葢西溪園林皆有梅而奇古可愛，自永興寺外，此梅實為之冠焉。

敷文載筆

敷文載筆

敷文書院在西湖萬松嶺上，其中有芙蓉石、玩心亭、飛躍軒、石匣泉諸勝。東有毓秀閣，上祀

魁星，杭俗所崇。相傳求名之士，於元旦日初出時，以五色絲纏香往拜，如易得手中筆，必獲科第，然往往有不見者，則必顛躓棘闈。屢試屢驗。余聞而心動，請於

母，笑頷之。乃先期齋沐，於戊辰元旦，趁晨光曦微，衣冠登閣。仰視

魁星手中，竟不見筆，甫拜祝，而筆自落，因以香易歸

焉。按：嶺在鳳凰山上，南宋時，密邇大內。嶺分內外，中建一坊，顏曰萬松。元明以來，松漸枯息。書院為明參政周本建，仍名萬松，旋廢。

國朝范忠貞公（名承謨，漢軍，進士，官總督。）重修，康熙五十五年，

聖祖御書浙水敷文四字，改今額。雍正八年，補植松萬株，始復舊觀。松林建亭曰觀風偶憩。余握筆下嶺至亭小坐，時日上三竿，天籟忽起，聽濤聲澎湃，與江上潮聲相應答。至今思之，覓舉乞靈，不免為識者所笑然，以余之譾陋，鄉會三試，連掇巍科，設非

神佑，曷克臻此。

永嘉登塔

永嘉登塔

温州，古永嘉，山川奇秀，民俗風華，為東南巨郡。丁卯十一月，吾
父奉
旨簡授知府，單騎之任。越歲戊辰春正，恭迎
曾大母就養府署，麟慶隨侍，讀書東園。潔士舅氏顏其室曰竹韻梅芬。暇日，偕仲文、季素兩弟，隨舅氏出郭攬勝。先詣飛霞洞、揖峯亭等處。遂買棹渡江，至江心寺，憩浩然樓，謁文信國祠，登東西兩塔，均造其巔。遥望風帆縹緲，海市迷離，俯視覺塔倒

江中，水欺人面，別有境界。按：此山名孤嶼，謝靈運詩「孤嶼媚中川」，謂此。塔則唐咸通時建。宋建炎中，高宗駐蹕，賜名龍翔、興慶。相傳昔時兩山對峙，江流貫其中，後為沙淤，遂相連云。是日本趙起亭守戎（名鶴棠，直隸，武進士，官温州衛。）招飲寺中，座上為吾父幕客姜少川（名頤，山陰，職員。）夏晴壑（名炳雯，會稽，廩生。）章炎甫（名燿，會稽，布衣。）鈕莘川（名翰謙，江蘇，恩貢。）四先生，端木子彝廣文（名國瑚，青田，舉人，後中進士，官中書。）項果園畫史（名維仁，永嘉，布衣。）錢封五（名松，江蘇，附貢，後以御醫官院判。）林石筍（名從烱，瑞安，廩生。）曹子木（名椿，平陽，廩生，後中间榜舉人，官教諭。）三秀才，謀罷渡江入城，踏燈觀欄街福。春社名士女如雲，熙來穰往，真富庶清平氣象。

石門躍鯉

石門躍鯉

戊辰正月，奉到
萬壽開科恩詔，承
嚴慈命，隨　潔士舅氏應試順天。三月初九日啟行，與夏晴壑先生俱。十四，舟泊溫溪石門洞。其地屬青田縣，層巒疊翠。忽闢一門，水出其中，水口有亭，額曰康樂，蓋宋永嘉太守謝康樂始開此山也。西南有山極峻，厥名石樓，沿亭左折，地勢曠衍。再折而東南，峭壁萬仞，橫截去路，有瀑自頂飛下，噴瀉如練，受瀑處潭寬畝許，深百丈，激盪之聲如考鐘鼓，旁巖有洞，幽深莫測，繚以石欄。相傳為明誠意伯劉伯溫得天書所。並建一祠，以奉香火。遊畢，自崖而返，觀漁父捕魚。舉網適得巨鯉，奉以來獻，僉謂吉兆，因受而烹之。即命解纜，洞啟蓬窗，對山小酌。越日抵麗水登陸，過桃花嶺，至金華，泛舟富春江，泊二橋，餞晴巒歸里。艄婆（俗呼桐嚴嫂）林阿葵薦蘭熏松鱟、刀鱭，秦細玉進女兒酒，何阿喜獻西施舌，江瑤柱以相餉。爰團坐數梅花，猜爪子，暢飲盡歡。到杭之日，放棹西湖五柳居，嘗醋溜魚絲、蓴湯，正不知較宋五嫂魚羹風味云何。翌晨，巴閬仙先生名哈布，漢軍，舉人，官仁和令。具舟資促行。北渡揚子，節交立夏，餽啖江鰣。抵王營，索河鯉，不可得，得縮項鯿、巨首鰱，肥甘亦異常品。計自石門觀瀑方二旬，而疊飫芳鮮，亦口腹之緣也。

京兆報捷

京兆報捷

余之抵都也，寓豆腐巷　族伯凝一公（諱萬福，官主事。）宅中，謝客下帷，惟與李申耆、（名兆洛，江蘇，進士，改庶吉士。）洪孟慈、（名飴孫，江蘇，舉人，後官知縣。）屠止泉（名英，安徽，進士，時官助教，後晉知府。）三先生，鍾雲亭、（名祥，漢軍，進士，後官總督。）張翰風、（名琦，江蘇，監生，後中舉人，官知縣。）慶屏如、（名保，漢軍，拔貢。）姚筮華、（名樟，浙江，監生，後鄉會同榜，官知縣。）榮及亭、（名第，滿洲，舉人，後中進士，官中允。）黃璞山、（名載華，江蘇，監生，後中同榜舉人。）奎愚溪、（名智，滿洲，生員，後中同榜舉人，官內管領。）高子凌、（名沖霄，山西，舉人，後中同榜進士，官知縣。）南岡舅氏、（諱景升，江蘇，附生，官主簿。）修明六伯（諱奎福，官西陵總管。）相過從。重陽揭曉前一日，窗友岳中峯，（名魁，滿洲，舉人，後中進士，官主事。邀純鏡溪、名貴，漢軍，廩生，後中舉人。文又僑、名惠，漢軍，貢生，後官教諭。崇健菴名元，漢軍，附生，今官鹽大使。同至田六琴先生名駿，安徽舉人。館中候榜。比五鼓，聞獲雋者紛紛報捷，自分在孫山外，駕車馳歸。適凝一伯在家得錄，知中一百四十八名，遣僕持帖迎報，遇諸途，乃折回，至順天府前觀榜。又僑先到，見余名，呼曰：見亭得中，足以張吾軍矣。余深覺愧赧，無辭相慰。是科房師為毛吟樹先生，諱謨，浙江歸安人，嘉慶己未進士，時官編修，後晉內閣學士。座師為曹儷笙、諱振鏞，安徽歙縣人，乾隆辛丑進士，時官尚書，後晉大學士，軍機大臣，加太傅，卒謚文正，入祀賢良祠。潘芝軒名世恩，江蘇吳縣人，乾隆癸丑狀元，時官

侍郎，今晉大學士，軍機大臣，太子太保。二先生，同榜二百三十七人，

解元則諸葛光泰字坦菴，武清人，後官知縣。也。

昆明望春

昆明望春

圓明園之西二里許，有湖周四十里，受玉泉諸水，匯成巨浸，土名大泊湖。乾隆癸亥，奉
旨開濬，西山泉脈隨地湧現，
賜名昆明，範銅為牛，以鎮水勢，背鐫
聖製金牛銘。其南建橋，高梁圓脊，名曰繡漪。湖西為
萬壽山，即甕山。其麓為
清漪園，園中有怡春堂、青芝岫、無盡意軒、聽鸝館諸勝。東南有樓三層，額曰山色湖光共一樓，均為
聖駕幾暇遊觀之所。己巳春闈後，凝一伯攜余尋堤

瞻望，遥指門徑，俾服官聽漏，不迷所往，而
天上恩波，
禁中春色，幸得先窺。方之杭州西湖，其氣象又迥不
同矣。

午門釋褐

午門釋褐

嘉慶己巳，麟慶年十九歲。四月初八日，會試揭曉，中式第二十七名貢士。翌辰，詣午門前謝恩。同榜二百四十一人，惟余最少。房師蔡申甫先生諱之定，浙江德清人，乾隆癸丑進士，時官翰林院侍讀學士，後改鴻臚寺少卿。至班，即傳見，備言闈中得卷傳觀，滿擬老宿。嗣座師費筠浦、諱淳，浙江仁和人，乾隆癸未進士，時官大學士，加太子少保，後卒謚文恪。王春甫、諱懿修，安徽青陽人，乾隆丙戌進士，時官尚書，後卒謚文僖。英煦齋、諱和，滿洲正白旗人，乾隆癸丑進士，時官侍郎，後晉協辦大學士，軍機大臣。貴雲西名慶，滿洲鑲白旗人，嘉慶己未進士，時官內閣學士，今晉尚書。四先生到班，恭率行禮。越日覆試二等，殿試三甲九十三名，賜同進士出身。五月初八日引見，奉旨以內閣中書用。釋褐登朝，自此始矣。時吾父奉曾大母諱，丁承重憂，自溫州交卸，回杭中途，聞報大悅。吾母寄詩奬勗，有科名雖幷春風發，心性須如秋水平。

處世毋忘修德業，立身慎莫墜家聲向。每繹慈訓，祇覺躁妄難除，至今服膺勿失。再是科會元孔傳綸字夢鷗，浙江人，後官知府。狀元洪瑩字鈐菴，安徽人，授職修撰。榜眼廖鴻荃字鈺夫，福建人，今官尚書。探花張岳崧字翰山，廣東人，今官布政使。傳臚黃安濤字霽青，浙江人，今官知府。也。

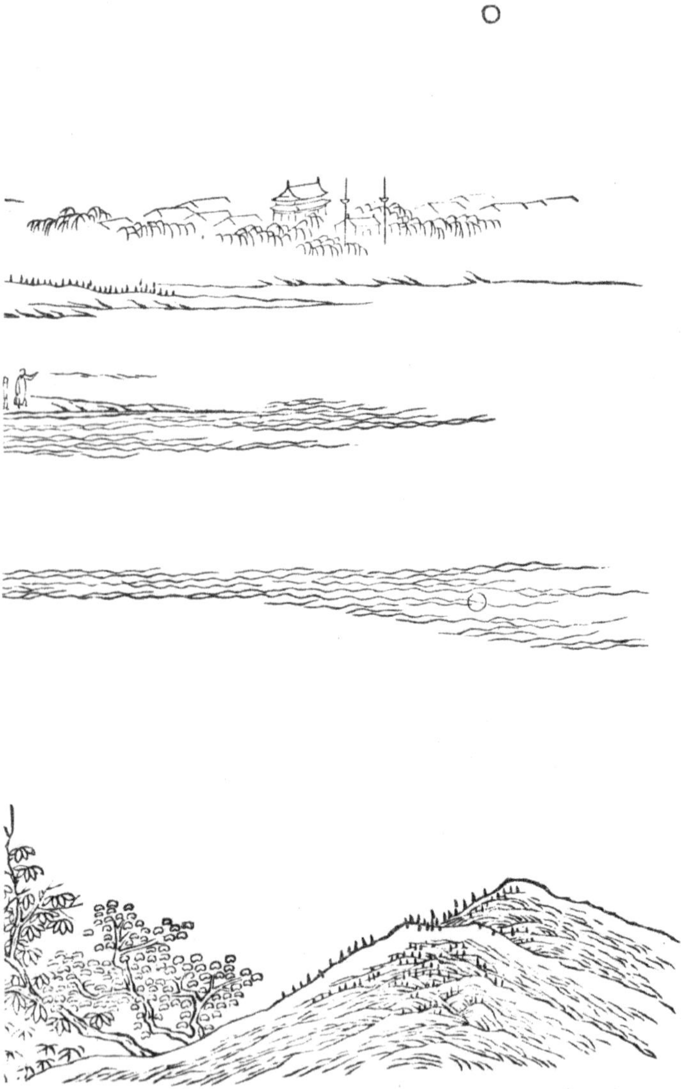

辰洲泊月

瓜洲泊月

余授職後，即赴內閣，分典籍廳行走。尋奉嚴慈手諭，已聘定瓜爾佳夫人。時　外舅餘甫公（名慶康，滿洲，侍衛，時官遊擊，後晉副將。）宦遊寧波，不克送女，命即乞假往娶。當於八月初十日具呈，董蔗林太傅（諱誥，浙江，傳臚，卒謚文恭。）笑而判以十五，曰：薇垣歸娶，風雅事也，標以佳節，正賀子人月雙圓耳。余揖謝。遂於十六日出都，隨潔士舅氏於九月十一日行，次瓜步，渡揚子江。適遇風暴，船顛簸，巨浪中幾覆者屢矣。不得已，駛至郭璞墓泊焉。忽數人駕二漁舟來，持巨緶，繫大鐵丸，狀如瓜羅，列數枚，莫測所以。則見二人駕小舟北去，橫絙江面，垂丸水中，江豚噴浪，鐵丸忽起忽落，正擊其首。少頃，一豚浮白，爭劃刃矣。舟子戒嚴，急駛至鮎魚套口。日落風定，秋月揚輝，兩岸帆檣燈火，歷歷如繪，而倒影涵虛，重規朗映，恍置身玉壺世界。隨趁月行至常州，送舅氏歸第，小住三日，偕子尚外兄、費東帆同年（名湘，武進，舉人。）錢園看菊，遇錢黃山，（名季重，邑諸生。）鶉衣百結，束以草串，亢傲自得。知豪於飲，出青蚨作杖頭費，黃山自取百文，拱謝而去。登舟後，適遇王竹嶼先生，（名鳳生，江蘇諸生，時官通判，後晉鹽運使。聯舫南下，艤慧山，招同訪女道士韻香姓王，名嶽蓮。於雙修庵。韻香姿僅中人，而腹有詩書，别具出塵之致，惟名心未退，詢知，余十九登進士，意甚欣然，面寫墨蘭以贈，尋留饌。自言近在卞玉京明末女冠墓側種梅百本，涅槃後將葬其旁。竹嶼因乞用靈飛體爲亡妾書誌勒石。月上回舟，秋氣清澄，雖不如瓜洲之空曠，而月明林下，别饒風趣。

寄暢

攀香

寄暢攀香

慧山在江蘇無錫縣西，上有九峯，下有九澗，寺在東麓，其右有泉，唐陸羽品為天下第二，甃以石，池方圓各一，建亭覆之。

聖祖南巡，攜寺僧性海所藏竹罏，然火煮茗，泉名益重。秦園亦在山左，初本僧寮，曰南隱，又曰漚寓，前明尚書秦金得之，闢為園，名鳳谷行窩，子孫增葺，易名寄暢。康熙乾隆間屢邀

睿賞。一峯卓立，本號美人，

賜名介如。九月既望，詣顧氏從母家，春谷外兄招遊慧山，

品第二泉。茶罷入寺，請觀竹鑪。寺僧言奉官禁，乃止。遂過寄暢園，遥望翠靄陰森，干霄映日，園中古木幾千章，且距園里許，香風襲人，蓋天香堂前桂花正放也。入門卽知魚檻，依檻壘石為沼，其水從寺而左，淙淙㶁㶁，注為清渠，沿沼過橋為嘉樹堂，尋山徑紆折而上，極高處為梅亭。沿山右轉為
宸翰堂、天香閣、卧雲堂、凌虚閣，而介如石又在其南。叢桂留人，清芬馥郁。乃折一枝，并採得骨牌草。其草葉背有黄點突起，數如牌式，二十一色俱備，且聞能療疾，他處所無，因攜歸舟中。按金字國聲，前明進

士官尚書，以平郴桂猺匪功著名於時。秦園九老，則以乾隆間諸生孝然等接

駕，賜詩有近族九人年六百，耆英高會勝香山句也。

虎邱述德

虎邱述德

康熙間，五世祖存齋公（諱和素。）官內閣侍讀學士兼武英殿繙書房總管，充皇子師，隨侍聖祖仁皇帝巡幸江浙，和詩稱旨，錫賚駢蕃。一日，扈從聖駕，駐蹕虎邱，名入千頃雲（軒名）賜饌，并當面御書紀遊詩以賜。詩曰：試劍仍存石，生公尚有臺。愛觀山後景，錯落野田開。謹即叩領。會桐城張文端公（名英，康熙丁未

進士，時以大學士致仕家居。迎
鑾江口，與
存齋公年交至好，見而恭跋，因手裝成軸，尊藏
宗祠。麟慶幸得瞻仰
天藻龍章，子孫世寶。己巳九月，路出金閶，緬懷
祖德，追尋勝地，遂買舟至七里塘。畫船歌舫，容與中
流，花市香塵，輻輳兩岸。緩步登山，瞻
萬歲樓，入雲巖寺，坐千人石，登仁壽塔，謁短簿祠，挹憨憨
泉，風景百變，耳目一新。且遊人梭織，貨物雲屯，靡
麗紛華，實甲天下，未免文勝於質。恭繹

宸翰，重農貴穀之意，溢於言表，凡在臣民，可不知本務乎。

蘭亭尋勝

蘭亭尋勝

蘭亭在浙江山陰縣西南二十七里蘭渚山。晉永和間，王羲之官會稽内史，會謝安等四十二人修禊於此，製序書之，世傳墨寶，亭遂由是得名。其後太守王廙之建亭水中，司空何無忌又移山椒，嗣是屢經劫火，而風流觴詠，至今豔稱。

國朝康熙三十八年，

聖祖仁皇帝特命重建，

御書蘭亭序立石亭中。己巳十月，余抵浙江，時

嚴慈仍寓會稽李恒園先生宅，敬詣叩謁。定省之暇，

乃偕康皆丈往遊。其地崇山峻嶺，茂林修竹，恰如文境，而沿路花汀稻畦，板橋茅舍，別饒逸趣。古語云，山陰道上，應接不暇，洵非虛語。考蘭亭真本，在唐智永禪師處，經蕭翼奉詔賺得，後殉昭陵，遂不可見。而在唐太宗未得之前，已有石刻，一智永臨本，一隋開皇本。其定武本為歐陽率更臨自宋景文帥定時取置庫中，已不可多得。迨薛紹彭以副本易歸長安，大觀間取置宣和殿。金時與岐陽石鼓並輦而北，更成廣陵散矣。余藏有定武正本，帖前刻右軍小像，文與陳直齋（名振孫，著有書錄解題。）藏本無異。會字全泐，上蓋小印，後有王夢樓太守（名文治，江蘇，探花。）兩跋，王蒙泉司馬（名養庚，浙江貢生。）三跋，指為宋石，引趙松雪言為證，洵是半閒堂賈氏刻本。至智永本，聞藏桐城方氏，未曾見。開皇本現藏海寧查氏，近已刻入春草堂帖中矣。

天一觀書

天一觀書

己巳嘉平之月，奉

命赴寧郡完姻。余聞城中有天一閣，藏書甚富，欲往借觀。立亭內弟名存誠。先出所藏阮雲臺先生督學時刊校書目碑目相示，計五萬三千餘卷。始知閣係前明范少司馬堯卿所建。其式通六間為一，蓋取天一生水地六成之之義。子孫世守，扃鑰維嚴。乃偕馬芥舟同年名士龍，邑進士，後官同知。詣主人請觀。有春田學博者，相約登閣，得讀漢焦氏易林及唐宋人詩文鈔本，並

朱子題名錄，知小名沈郎，中王佐榜五甲進士。又有
芸草一株，淡綠色，香尚馥郁。三百年來書不生蠹，
以此。閣前不植花木，石筍林立。楹帖乃吾
父赴郡讞獄時所撰，曰：階前奇石秀，閣上古書香。謹
按：乾隆間採訪遺書，范懋柱呈進七百餘種，得
旨命詞臣校勘，分別應刊應錄，擇精醇本進呈，親為評詠，
題識簡端，彙入四庫，原書於篇首鈐用翰林院印，
給還本家收藏，并
諭獎進書最多至六七百種之范懋柱、馬裕、鮑士貴、汪啟
淑，皆累世弆藏，子孫克守其業，甚可嘉尚，著賞內府古

今圖書集成各一部。又進書百種以上之周厚堉、蔣曾
榮、吳玉墀、孫仰曾、汪汝瑮、黃登賢、紀昀、勵守謙、汪如藻
等，亦賞給内府初印佩文韻府各一部，俾珍為世寶，以
示嘉獎。等因，欽此。我
朝稽古崇文，亘古未有。藏書之家，范氏實為巨擘，故
因天一閣而特記之。

海船望洋

海船望洋

寧郡濵海，爰偕立亭内弟因汛弁毛萬年同出鳳凰口，梯登海船五層樓上，望内外洋，水天一色，遥指琉球、日本諸國，輕煙數點爾。至海船製度，頭艄俱方。其頭梁俗名利市頭，船後舵名水闗。凡四桅，前曰頭稱，次曰頭檣，上懸順風旗。中曰大檣，上立雀竿，冠以鯉魚旌。後曰尾檣，上竪五色旗。船中極高處為供奉

聖母堂，棚曰亭子，門曰水仙。門旁方艙，以貯淡水，名水櫃。有名同實異者，車盤是也。在前用以拋錨，在

中用以挂帆，在後用以收舵。有名異實同者，栅欄是也。在前曰闌籠，在旁曰遮陽，在後曰插籤。此外器具與内河相彷，而製加巨。惟有木椗以夾喇呢木為上，次用烏鹽木，蓋南洋泥性過柔，鐵錨易走，故設此製。又有水垂，以鉛為之，重十七八斤，繫以水線，欆繩為之，其長短以拓計。五尺為拓，水深者七十拓，至淺亦三十拓，蓋鉛性善下，垂必及底。垂蒙以布，潤以膏蠟，所到軋縋水底，俾沙泥緣垂而上。驗其色，即知地界，量其線，即知深淺。至行水駛風，辨方定位，則妙在針盤。下盤嵌於艙板，以針定字，上盤安於艄艙，以字定針，舵師穴其窽而窺焉。

六橋問柳

六橋問柳

庚午二月，自紹郡北行，路出杭州，往別西湖。時值暮春之初，綠波新漲，六橋放棹，煙柳空濛。忽遇一小舟，中坐臞叟，鶴氅朱履，横琴焚香，左右坐二童子，一執鼓板，一握短笛，互相唱答，蕩漾於煙水中。余船尾之，竟日不得主名，至今思之，殆退歸林下而善享神仙清福者也，令人豔羨。按六橋在蘇公堤，一曰跨虹，二曰東浦，三曰壓堤，四曰望山，五曰鎖瀾，六曰映波。界湖為二，西曰裏湖，東曰外湖。昔坡翁詩云：六橋横截天漢上，大堤楊柳多昌丰。正謂此爾。故余製憶西湖詩有六截句云：憶昔臨湖放畫橈，半篙鴨綠漲春潮。遊人盡逐笙歌去，煙水蒼茫鎖六橋。其一 探奇閒訪招賢寺，覽勝頻登放鶴坪。記得裏湖遊遍後，撥船更向外湖行。其二 曾為尋春試馬蹏，蘇公堤接白公堤。香山已去東坡老，芳樹流鶯故故啼。其三 三春花事屬東皇，各様仙姬各様妝。湖內畫船湖上馬，年年社日拜花王。其四 管絃咿啞櫓聲柔，每向澄波卜夜遊。今夕月明風露淨，渾疑身在望湖樓。其五 歷數湖山儘可誇，而今空自癖煙霞。何時重上勾留處，六一泉烹龍井茶。其六 展玩斯圖，不覺憮然。

震澤瞻龍

震澤瞻龍

禹貢：震澤底定。周禮揚州藪曰震澤，浸曰五湖。孔安國書傳震澤卽太湖。漢地理志五湖之名，與傳各異。陸龜蒙曰：太湖上禀咸池五車之氣，故一水五名。圖經：太湖所容者大，故以太名。今按其地占蘇常湖三府境，中有七十二山。其濱運河者有長橋一，相傳漢武帝時開，唐時重修，刺史王仲舒鬻所束帶助工，因名寶帶。元末圮，明巡撫周忱復建。下通巨艦，商民利賴。庚午四月北行，泊舟橋側。會大風雨，舟人喧言：太湖龍挂，急出立船頭，張雨具望之。陰雲如墨，中有一影，夭矯飛騰，見尾不見首。吾道猶龍，其然，豈其然乎。因紀以詩曰：陰雲四合吹腥風，湖水直立煙濛濛。白氣一縷升天東，龍身入雲雲駕龍。揚鬐掉尾凌長空，水聲潺湲相激衝。須臾，雨急敲船篷，翻身歸入滄溟中。尋余入京，供職内閣。癸酉九月十五日，逆匪林清等作亂，直犯禁城，傷侍衛那綸，閹役李升等數十人，進逼宮墻。今上親御火槍，連斃二賊，逆黨始退。隨率王大臣領兵搜捕，悉就捦戮。槍礮之聲徹夜。時余偕金峻崖、名崇，漢軍，舉人，後官知府。碩慎齋、名德，覺羅，己巳同榜進士，後官郎中。恒輯堂、名安，蒙古，己巳同榜，進士，後官中允。楊靜巖名景仁，江蘇，舉人，後官員外郎。同守内閣，比五鼓，忽見平地有龍飛起，綠鱗騰繞，電閃雷鳴，大雨如注。雨過天曉，始知先有逆首潛匿

午門樓上，擬乘夜縱火，天威震慴，知罪自戕。十九日，

聖駕自東陵回鑾，逆首林清伏誅。錄麟慶守護功，

賞加一級。然余與同官水漿已不入口三日，設非風雷効順，安能轉危為安，龍之為用神矣哉。

鳳閣吟花

鳳閣吟花

余之官中書也，吾母繪紫薇夜月便面以賜，題曰金帖傳名，青錢入選。薇省深沈，鳳池清淺。夙夜匆息，匪躬蹇蹇。叨列清班，勉躋通顯。麟慶拜受，尋兼充

文淵閣檢閱，

國史館分校，因得讀中秘之書。每入直，在典籍廳辦事。廳前有芍藥一池，年久枯萎。壬申四月，忽發數枝，沈春皋前輩（名淦，浙江舉人。）濡筆作圖，邀高蘭墅侍讀，（名鶚，漢軍，進士，後官給事中。）蔣雲簹、（名泰階，江蘇人，己巳同榜進士，後官御史。）李涬

庭、名秉灝，順天人，己巳同榜進士。桂一山名馨，蒙古，進士。三舍人及余賦詩，即席成二律，一曰

禁苑頻經雨露滋，翻階紅藥逞妍姿。身隨芳影依鸞樹，春引

恩波到鳳池。金帶舊徽元老品，玉盤新頌舍人詩。雲箋到處催題詠，官閣梅花憶昔時。二曰綽約丰神引興賒，殿春仍許鬭春華，

綸扉香暖辰聯袂，瑣闥風清午放衙。遺種休嫌分野圃，託根爭羨傍

天家。自慚小技雕蟲手，采筆思紛五色花。尋都城傳為

韻事。一日，潘虛白伯母（名素心，浙江山陰人，宮詹汪雨園先生德配，著有不櫛吟。）過舍，與吾母談詩，見前賜扇，喜題二律。有：薇省新開宮樣花，丹黃渲染一枝斜。禁中謝朓吟紅藥，座上宣文擁絳紗。等句。正謂此也。

海嶽浴日

海獄浴日

甲戌正月，吾
父揀發山東，授泰安府，攜眷赴任。余留京供職。四月，
國史館五年考滿，提調 明鑒堂先生諱舒，滿洲，繙譯，舉人，官內閣侍讀學士。薦列一等。經總裁保
奏，議敘先陞。十二月，遷兵部主事。會瓜爾佳夫人於
九月卒。越二載，丙子，繼聘書書覺羅夫人，時 外
舅牧堂公名福謙，滿洲，稟生，時官筆帖式，今晉御史。官工部，爰於二月
迎娶，五月又卒。屢奉
嚴慈手諭垂問，因於六月乞假定省。陸宿山行，計程

以詩。出都云：遠岫青從天際落，初陽紅向樹頭看。只緣愛日情懷切，不畏梯雲道路難。趙北口云：曉氣浮虛白，雲痕盪蔚藍。德州云：白沈沙漲遠，紅壓火雲低。平原遇雨云：行人最喜晴，畏熱亦思雨。張下道中云：霞添叢樹紫，雲補斷山青。比抵郡，擇閏

六月朔詣東嶽

碧霞宮進香，爰偕季素弟登山，至壺天閣，瞻吾父題聯曰：登此山一半，已是壺天；望絕頂千重，尚多福地。小憩閣下，易馬以輿。躋南天門，舍輿而步，拜元君祠，登泰山絕頂，觀無字碑。因聞日觀之奇，遂留

宿浴日養雲亭。五鼓即起，披裘推窗，罡風逼人，四山俱晦，東北微明，初見曉風激霧，溟渤素波，灝灝然，漠漠然。俄而現白毫相，俄而現金蛇相，俄而現紺寶相，海氣漩綠，霞影透紅，一噴一鮮，漸起漸高，轉瞬間已上扶桑矣。

養塢後

雲

後塢養雲

余既得觀浴日之奇，正擬再覽養雲之勝，乃甫掩窗，而道人報：前山雲將鋪海。急趨至無字碑側，西望丈人峯，白絮盤旋腰膂間，既而滅頂及踵，郤迎迴合，隨風疊浪，四面俱成兜羅綿世界，盪摩奔迅，有如陣馬風檣，余身在層雲中，亦丈人峯也。久之，雲氣解駁，如浪文四散。道人忽又報：後山收雲。急趨至亭北，俯視天空山，黃華洞口有雲一線，蜿蜒自入。頃刻雲歸，一目萬里。余欲往觀，苔深路滑，衆難其行，惟老僕李滿壽請為嚮導。乃易便裝，著布鞵，取道迴車巖，下北天門，度摩雲嶺、亂石溝、獨足盤，鳥道崎嶇，人蹤罕到，路愈險而石愈奇。北崖環敞如女墻，其上松石杈枒如筍，是為筍城。明鍾惺有記，勒於崖東。再轉至最深處為黃華洞，石瓣倒綴，乳泉積冰，洞中高可拂冠，廣容一几，竟不知雲歸何處。逮道光丁亥，余官開歸道，憶及斯遊，因承慈命，捐廉修葺石路。札囑魏翁致和（名祥，山東，職員。）代為督工。近成坦途，蓋自嶽頂至此，計程十五里，故俗名後石塢云。

石峪搨經

石峪搨經

余之登山也，因奉
慈命，虔祀
元君，經歷勝境，未敢縱觀。比自後石塢回頂，乃謁
孔子殿，讀摩崖碑，臨愛身崖，探白雲洞，下十八盤，憩大夫坊，參對松山，望御嶂屏，歷迴馬嶺，渡高老橋，自以為觀止矣。季素弟曰：此去有經石峪，盍往觀乎。遂踰澗而左，又越一嶺，有石坡斜平若掌，方數畝許，徧刻隸書金剛經，字大於斗，筆力遒勁。石上有水，橫澗如簾，浸蝕經字，半就剝落。倚崖有亭，亭悉

以石，顏曰高山流水。其北崖泉漫空而下，是名水簾。旁有聽泉石，余小憩亭側，覺草木生香，迥非人境，惜未攜紙墨，一搨經字，遍尋姓名年號，竟不可得，歸考山志，亦未詳何人所鐫。惟聶劍光（名鈫，泰安人。）泰山道里記載，北齊武平時，梁甫令王子椿好内典，嘗於徂徠山刻石經二，俱八分書，與此如出一手，或卽其人所書耶。又，阮雲臺先生小滄浪筆談載，鄒縣尖山摩崖有北齊唐邕題字，筆法相同，或出邕書，亦未可知。至石上有前明汪姓所刻大學聖經一章，字既不佳，義更無取，眞不免爲山靈所笑耳。

郡園名鶴

郡園名鶴

泰安郡署西偏，有隙地數畝，吾父涖任後，芟草為徑，壘石成山，搆軒三楹，正對泰嶽。爰題聯云：桑麻課罷開花徑；台蕩遊還拜嶽雲。丙子夏，製詩四章紀勝，詞曰：小築依雲壑，虛窗嶽色多。退衙官鼓靜，清暑晚風和。石徑收銀甕，天街想玉珂。年豐民俗好，處處起秧歌。其一 數弓鋤月地，饒有四時花。淺白疑霏雪，深紅鬭落霞。野蔬供入饌，山果稱烹茶。不隔生香住，文疏拓碧紗。其二 若有神仙福，攜家近翠霄。妻孥時聚語，朋從每招邀。到枕

泉聲響，停杯夜色遙。山靈偏惠我，百種幻岧嶢。其三

敢竟躭琴鶴，浮雲鑒此心。數椽雖傳舍，三徑亦園林。課僕芟新草，呼兒製短吟。幾年容小住，聊比入山深。其四

時吾母及麟慶均有和章。會下榻軒側，因密邇仙山，每晨及暮，必焚香遙拜，乞駐

親顏。七月十有三日，方登平臺上，設几炷香，忽有一鶴，丹頂元裳，翱翔雲際，豈丁令威之化身耶，抑張采芝之法侶耶。爰繪斯幀，以誌奇緣。

闕里觀禮

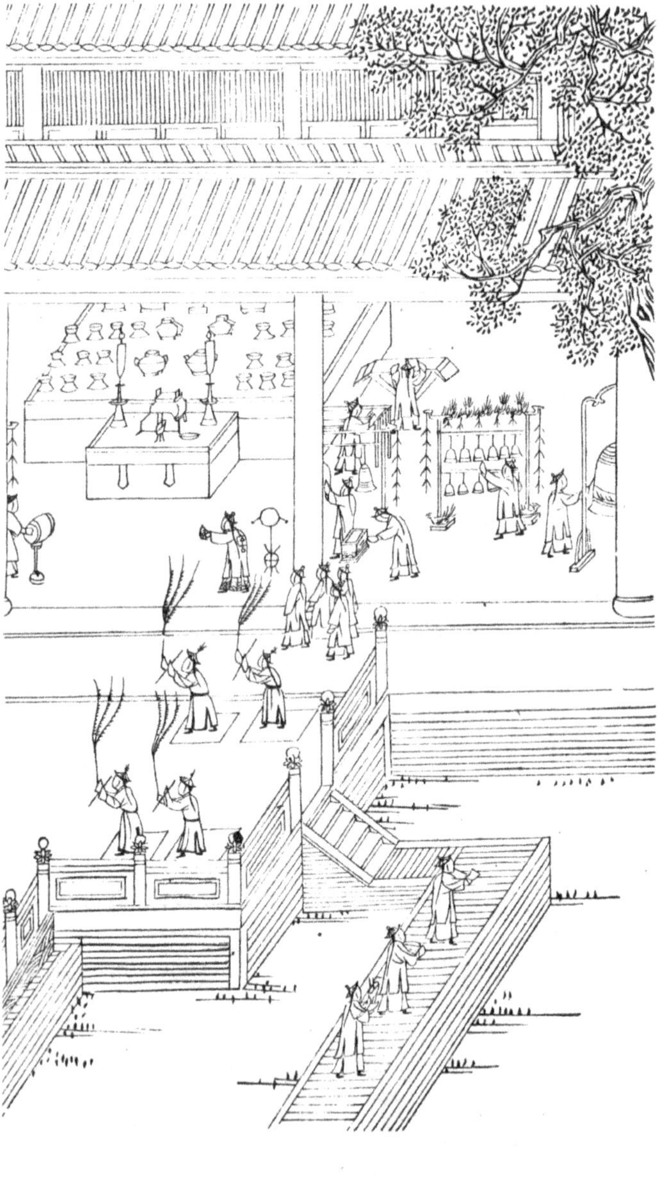

闕里觀禮

闕里文廟，距泰安僅三日程。丙子八月朔丁丑，爲秋祭期，欲往觀禮，以幕客周簡亭（名維讓，江蘇人。）與公府書記葉蓉圃（江蘇生員。）善，邀與俱。癸酉起程，乙亥抵曲阜客舍，沐浴更衣。翌日丙子入廟，至

大成殿前行禮。葉君來，相邀登殿，瞻仰

聖像。詢知東魏興和三年刺史李珽塑。觀犧象雲雷三罇，詢知漢章帝二年親祀所留。乃啟北扉，過

聖蹟殿，周覽圖畫石刻及行教小影。其像，顏子從行，傳爲子貢寫，晉顧虎頭重摹。爰回殿前，觀金党懷英

所篆杏壇，宋米芾所書檜樹贊，遂至門左，瞻手植檜。出大成門，恭讀

列聖謁廟御碑，乃至奎文閣，則甫陳祭器，展樂懸，整舞列而習儀尚早，遂出。入同文門，遍閱漢魏宋金元明各碑，復回閣下，觀衍聖公率子弟及執事官習儀，禮隆九獻，樂陳八佾，古穆肅雍，令人神往，低回久之。觀畢，東登詩禮堂，臨孔宅遺井，西登金絲堂，問魯壁遺址，并得觀孔氏所藏歷代衣冠。以故蔣伯生大令（名因培，江蘇，貢生。）贈詩有云：料得還朝誇向客，我曾觀禮聖人堂。此行眞大觀也。至廟庭規制，崇閎

壯麗，係雍正七年，

敕命翰林院掌院學士留保督修。留公字松喬康熙，辛丑，進士。

為余叔高祖，著有進

呈闕里文廟圖恭紀，文載入文穎。

洪雪臣絲圖言

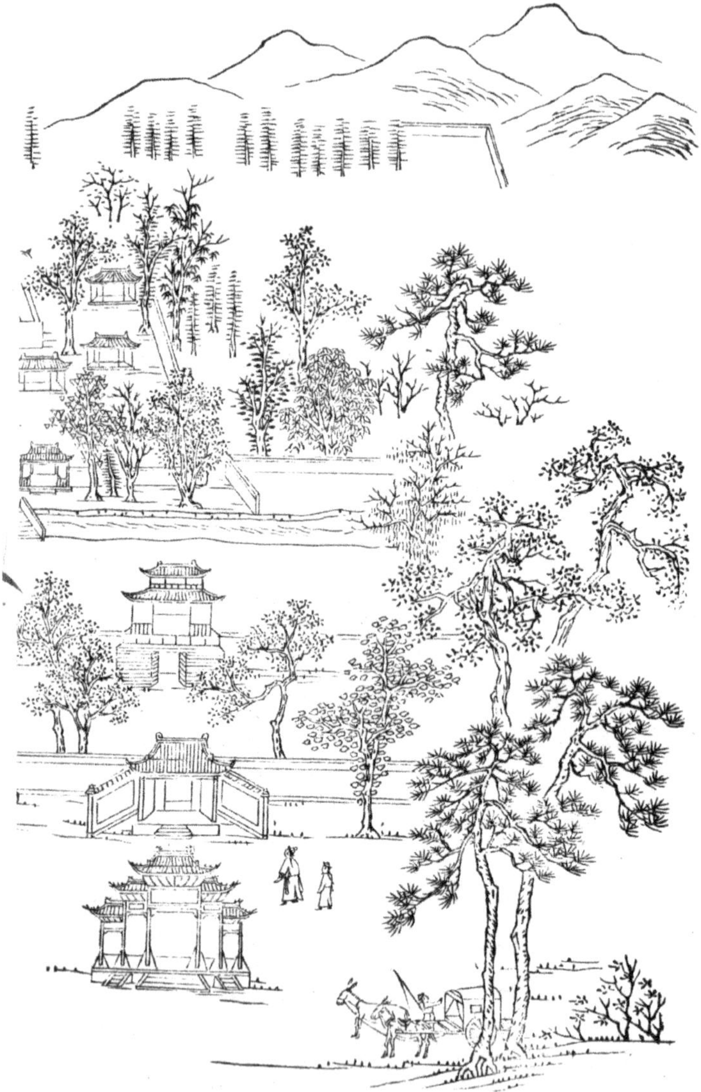

孔林展謁

孔林展謁

孔林在曲阜城北二里許，樹木森茂，黛色參天。相傳林中草木，皆當時羣弟子各自其國徙植，種類繁多，以楷木蓍草爲最著，且無鳥巢，無荊棘，尤徵靈異。原地十八頃，康熙二十三年，
聖祖臨奠，詔增擴十一頃有奇。雍正九年，
世宗命留保重修門堂殿庭，益增宏麗。乾隆間，
高宗屢經臨奠，隆禮有加，邁越前古矣。八月丁丑，余謁廟後，遂出曲阜北門，步至萬古長春坊，入林門，過觀樓西行，抵洙水橋，循墓門，有翁仲二，劍笏儼如。又，

華表、角端、文豹各二，遂肅拜享殿下。由東偏門入，

敬詣

先師墓前展謁。稍東，謁

伯魚墓。復南，謁

述聖子思子墓北。行至子貢廬墓所，尋得蓍草一莖。東至楷亭，觀子貢手植楷，高四丈五尺，枯而不朽。又東過宋真宗駐蹕亭，登思堂，閲壁上題名碑，尋舊徑出，登觀樓，望嶧山一點，正案東南，尼山、顏林俱在指顧。正北遥對泰山，煙雲縹緲。其西則淺沙曲水，縈絡交碧。近者為洙為泗，遠者為沂為汶為

濟，皆西南流。蓋山水皆得逆勢，實啟中原文運。以此知向離食巽、環泗迎洙，人之葬聖人與實聖人之葬聖人也，至今孔氏子孫，纍纍者周環殿垣之外，雖堯舜亦無此盛爾。

明湖放棹

明湖放棹

山東濟南府，地勢最窪，有七十二名泉，皆散流，匯為大明湖，湖占城内地三之一。沿湖植柳，若亭，若祠，若臺，若寺，棊布兩岸，為歷下勝槩。丙子仲秋，吾母為麟慶聘定繼室程佳夫人，時　外舅綬堂公諱國璽，漢軍，繙譯，舉人，官按察使。已故，内兄貴薌莾名格，時官通判，今晉知府。奉　外姑馬夫人寓居濟南，乃親往納采，麟慶隨侍。禮成之日，便道遊大明湖，至鐵公祠，設席前軒，其楹帖云：四面荷花三面柳，一城山色半城湖。意致絶佳。粉壁黏詩，雲箋五色，内有款署醉琴者，墨痕尚新，頗具逸趣，詢知係北極閣道士。飯罷奉母回寓。翌辰易服至鵲華橋，買舟往訪，醉琴縱談元理，風雅宜人。因贈以詩曰：久事元君泰嶽巔，漫來此地奉金仙。曲中山水參琴趣，壺裏乾坤得醉禪。十里明湖澄檻外，萬峯秋色落尊前。道心寂歷塵心定，話到長生一囅然。醉琴大悦，即具酒榼，移置舟中，放棹湖心。經慧泉寺，泊歷下亭，指堤邊秋柳，為余述當年王文簡公名士正，別號漁洋山人，山東，進士，官尚書。集諸名士賦詩事。所惜種荷者植葦為界，船中每不見花。越日，醉琴又邀汪憶蘭少尉名焜，浙江，生員。、王任臣名托，招遠，武生。鄭柳田名士芳，歷城，布衣。作良夜之遊，放舟南豐祠，至匯波樓而返。斯時也，涼風送槳，縞月當空。柳田，憶蘭雅善吳歈，任臣能奏秦聲，醉琴倚長笛和之，余扣舷而聽，直不啻身在廣寒聆霓裳矣。

[illegible]

靈巖聽濤

靈巖聽濤

靈巖山在泰山西北四十餘里長清縣界，古稱方山。上有辟支塔、功德頂、鐵袈裟亭、卓錫泉諸勝。相傳東晉竺僧朗師事佛圖澄於此説法，猛獸歸伏。亂石點頭，靈巖所由名也。北魏時，法定建寺後，遂與潤之棲霞台之國清、荆之玉泉，稱天下四絶。乾隆二十一年，

高宗臨幸，賜名雨花巖寺。寺内有古松一，志稱，唐貞觀時，僧元奘降錫此寺，將往西域求經，嘗摩小松之頂，令幹枯枝茂，護以石欄，有

御書摩頂松三大字，並勒詩碑陰。蓋是山純以松勝，而松又以是爲古。丙子九月，吾父因公赴省，侍行過灣得鎮，邀幕客李聞泉名文銓，江蘇監生。策馬往遊。遥望一山，其上有孔，南北相通，詢名明孔。東抵一坊，額曰靈巖勝境。過坊，松杉夾道，陰靄如雲。日光穿漏如碎金，人行其間，衣袂盡綠。下馬小憩，聽萬壑風聲，如洪濤澎湃，與澗底泉聲相應答。有詩紀遊曰：轉入靈巖境，陰生十里松。斷山叢樹補，古寺亂雲封。白挂巖前瀑，青抽雨後峯。幽深少人跡，溪午一聲鐘。

仙蝶證緣

仙蝶證緣

太常仙蝶，余官中書時，曾兩見之。戊寅正月，主事考滿，經尚書　和泰菴先生諱寍，蒙古，進士，時兼軍機大臣，卒謚簡勤。保舉，堪勝直隸州知州，奉
旨記名。四月，揀選外班翰林。奉
特旨：改授詹事府春坊中允，與己巳同年崇小亭、名碩，宗室，後官副理事官。劉禹民、名銘惠，漢軍人，今官知府。俞東躔、名肯堂，江蘇人，後官御史。李升齋、名德立，山東人，後官大名道。陳倬田、名繼義，順天人，後官知府。郭蘭石、名尚先，福建人，後官大理寺卿。戚蓉臺、名人鏡，浙江人，後官侍講。吳巢松、名慈鶴，江蘇人，後官侍讀。陳午橋、名鴻，浙江人，後官通政司參議。鄭商年、名家麟，直隸人，今官

知府。周曉坡名鳴鑾，山東人，後官雷瓊道。共聯吟社，亦曾以此命題，然未得證仙緣也。己卯新正，過　惠榕圃先生諱端，宗室，進士，時官翰林院侍讀學士，後晉侍郎。家，時大雪初霽，積素凝寒，相與煮茗圍罏，考證日下舊聞。先生因言仙蝶元時卽在太常寺署，乾隆戊申冬至，大祀
圜丘，祇宿齋宮，尚書德明偶奏及之，
高宗特命宣見。德公求之寺署，不得，或言在地壇，卽往述
旨，果飛出，遂承以錦函，恭賫進
呈。時和相當國，先取視，啟函，乃一腐蝶，大笑。德公心知其異，仍函進

上啟觀，蝶竟飛起，盤旋拜舞，上下九次。大悅，賜封蝶仙，製詩頒賞。尊甫副憲公（諱慶岱）曾躬逢其盛。余聞而神往。仙忽自几下飛來，倏不見。比行院中，又飛至，繞余襟袖。先生曰：是與君證緣也。嗣是屢蒙惠顧。至仙衣濃淡，化身大小，萬變不測，而左翅有圓孔，四足有白毫，一成不易云。

二牐修禊

二牐修禊

大通河，舊名通惠，元太史令郭守敬鑿。其源出自昌平州白浮邨，會雙塔、玉龍等泉，入都城為積水潭。東流出便門，為大通橋。自橋至通州石壩，計里四十，地勢高四丈餘，中設五牐，蓄水為分運京倉要道。其二牐一帶，清流縈碧，雜樹連青，間以公主山林，頗饒逸致。以故，春秋佳日，都人士每往遊焉。庚辰上巳，鍾仰山學士（名昌，滿洲人，己巳同榜進士，後官侍郎。）因文時葊駕部（名丕，滿洲人，今官御史。）家丙舍臨河，遂同招余及彭春農學士（名邦疇，江西，進士。）何仙槎祭酒（名凌漢，湖南，探花，後官尚書，卒謚文安。穆吟濤侍講，名馨阿，滿洲，進士，後官通政使。劉芙初、名嗣綰，江蘇，進士。周貞木名之楨，江西人，己巳同榜進士，後官知府。二編修，劉眉生給諫，名斯嵋，江西，進士，今官布政使。朱椒堂駕部，名為弼，浙江，進士，今官漕運總督。王楷堂比部，名廷紹，順天，進士。周雪橋孝廉，名仲墀，江西，舉人，後官知府。岳兼山、名昌，仰山弟，今官主事。周小石名玕，江蘇人。二上舍，朱野雲布衣名鶴年，江蘇人。并其子大樹，年八歲。凡十有六人。挈膠榼載吟筆，修禊河干。於是或泛小舟，或循曲岸，或流觴而列坐水次，或蹈青而徑入山林。日永風和，川晴野媚，覺高情爽氣，各任其天。因而芙初製序，野雲繪圖，回思晉永和癸丑迄今，千有

沈雲臣總匪言

餘年，文采風流，盛遊難再，然感時序之推遷，欣閒遊之暇逸，古今人正復同情，則雖方之蘭亭又奚讓焉。